Ffynnon Enddwyn, Llanenddwyn

FFYNHONNAU CYMRU

CYFROL I

Ffynhonnau
Brycheiniog, Ceredigion,
Maldwyn, Maesyfed
a Meirion.

Eirlys Gruffydd

Llyfrau Llafar Gwlad

Golygydd Llyfrau Llafar Gwlad:
John Owen Huws

Argraffiad cyntaf: Awst 1997

Rhif Llyfr Safonol Rhyngwladol:
0-86381-448-4

Clawr: Smala

Argraffwyd a chyhoeddwyd gan Wasg Carreg Gwalch,
Iard yr Orsaf, Llanrwst, LL26 0EH.
☎ (01492) 642031

Cynnwys

Rhagair 6

Ffynhonnau Brycheiniog 8

Ffynhonnau Ceredigion 18

Ffynhonnau Maldwyn 26

Ffynhonnau Maesyfed 40

Ffynhonnau Meirion 48

Diweddglo 59

Atodiad 60

Llyfryddiaeth 65

Cymdeithas Ffynhonnau Cymru 67

CANOLBARTH CYMRU

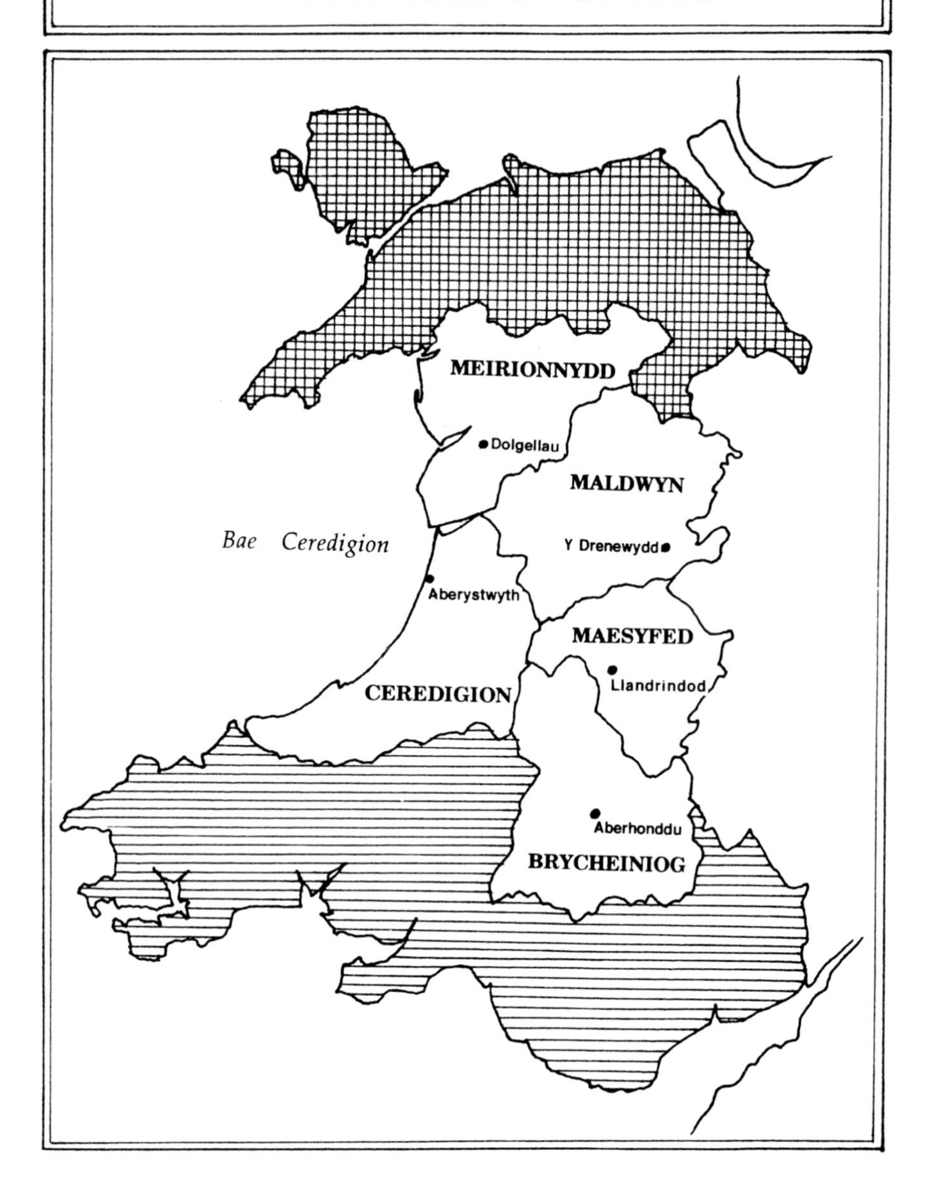

I Ken, Bleddyn a Bedwyr

Rhagair

Dŵr! Dŵr! Dŵr! i bob sychedig un.
Dŵr yn llifo'n gyson
Mae angen ar bob dyn.
Dŵr! Dŵr! Dŵr! daw bywyd drwy ei rin.
Dŵr yw'r hylif gwyrthiol
A roir gan Dduw ei hun.

'Heb ddŵr, heb ddim' yw arwyddair Dŵr Cymru ac fe dalodd ar ei ganfed i ŵr a gwraig o Sir Fôn ei fathu rai blynyddoedd yn ôl. Heddiw, pan fydd afonydd yn sychu neu'n cael eu llygru, bydd gwerth ffynhonnell o ddŵr pur yn cael ei bwysleisio unwaith eto. Daw llawer o'r hen ffynhonnau a ddefnyddiwyd gan y werin flynyddoedd lawer yn ôl, ond a esgeuluswyd gan gymdeithas dechnolegol ddiwedd yr ugeinfed ganrif, i fri unwaith eto.

Yn naturiol, mae'r ffynhonnau hyn yn hen iawn a bu'r dŵr yn tarddu ohonynt ers cyn cof. Lleoliad ffynnon a benderfynai leoliad annedd a phentref ers talwm ac yn aml iawn, ceid ffynhonnau ar ochr y ffordd hefyd i ddiwallu syched dyn ac anifail wrth deithio. Yn wir, gellir dweud â pheth sicrwydd mai ffynhonnau a greodd batrwm ffyrdd, pentrefi a threfi ein gwlad. Rhaid wrth ddŵr i gynnal bywyd a does ryfedd fod ein llenyddiaeth, yn enwedig ein llenyddiaeth grefyddol, yn gyforiog o ddelweddau a chyfeiriadaeth at ffynhonnau o ddyfroedd bywiol.

Ni ellir gorbwysleisio gwerth a phwysigrwydd ffynhonnau i barhad bywyd y dyn cyntefig yn oes yr arth a'r blaidd. Heb gyflenwad parhaus o ddŵr, ni fyddai'n bosibl byw. Yn ddiweddarach, yn y cyfnod Celtaidd er enghraifft, credid bod ffynhonnau yn ddrysau i fyd arall, byd goruwchnaturiol, ac fe gysylltid ffynnon â duwies arbennig gan mai symbol o ffrwythlondeb oedd y naill a'r llall. Yn raddol, tyfodd cred fod dŵr ambell ffynnon yn gallu iacháu yn ogystal â disychedu. Gyda dyfodiad Cristnogaeth, trosglwyddwyd nawdd y ffynhonnau rhinweddol hyn o dduwiesau paganaidd i saint ac fe welwn ffynnon yn agos at eglwys yn aml iawn. Credir bod llawer o eglwysi wedi eu codi ar safleoedd a gysegrwyd i dduwiau a duwiesau paganaidd mewn ymgais i Gristioneiddo'r hen ffydd gyntefig. Gan fod dŵr o ffynhonnau yn gysegredig i'r hen dduwiau, ceid mangre addoli gerllaw a phan fabwysiadwyd y mannau hynny gan y Cristnogion cynnar, sefydlwyd llannau arnynt a daeth y ffynhonnau yn ffynhonnau sanctaidd wedi eu cysegru i nawddsaint yr eglwysi a adeiladwyd ar y safleoedd. Dros y canrifoedd, daeth yn arferiad i gario dŵr o'r ffynhonnau sanctaidd hyn i'r eglwysi er mwyn ei ddefnyddio mewn gwasanaethau bedydd, ac mewn ambell ardal mae'r arferiad yn parhau hyd heddiw.

Wedi'r Diwygiad Protestannaidd, ceisiwyd rhwystro'r werin rhag mynd at y ffynhonnau i geisio bendith y saint. Yn fynych, byddai delw o sant wedi ei osod mewn agen yn y mur o gwmpas y ffynnon. Drylliwyd y delwau a cheisiodd yr arweinwyr crefyddol argyhoeddi'r bobl mai ofergoeliaeth babyddol oedd credu bod rhinweddau iachusol yn nŵr y ffynhonnau sanctaidd hyn. Ond er yr holl bregethu yn erbyn yr hen arferion, dal i fynd at y ffynhonnau a wnâi'r werin. Mewn oes pan nad oedd meddygon yn lluosog nac yn fedrus, byddai yfed dŵr y ffynhonnau sanctaidd neu ymdrochi ynddo, yn ogystal â ffydd y claf, yn sicr o wneud gwyrthiau. Yn raddol dros y blynyddoedd, collodd llawer o'r ffynhonnau eu sancteiddrwydd a daeth llawer ohonynt yn ddim byd ond ffynhonnau gofuned – *wishing wells* y Saeson. Fe'u defnyddid gan bobl ifanc hefyd, i geisio proffwydo pwy fyddai eu cymar neu i sicrhau serch yr un a garent.

Gwelir bod mwy nag un math o ffynnon i'w chael felly. Ceir rhai sy'n ddim ond cyflenwad o ddŵr i gynnal bywyd dyn ac anifail. Ceir eraill y priodolid rhinweddau iachusol iddynt ac yn aml cysylltir y ffynhonnau hynny â saint. Yn ystod y bedwaredd ganrif ar bymtheg daeth yn gred boblogaidd fod dŵr ffynhonnau'r canolbarth yn iachusol ac yn medru gwella pob mathau o afiechydon, a hynny heb gymorth nawddsaint na duwiesau. Tyfodd diwydiant llewyrchus o'u cwmpas a daeth nifer o drefi'r canolbarth yn enwog oherwydd y ffynhonnau iachusol hyn. Erbyn heddiw, maent wedi colli eu bri, ond pwy a ŵyr beth a fydd yfory?

Hoffwn ddiolch i nifer o unigolion a fu'n gymorth i mi wrth ysgrifennu'r gyfrol hon. Yn gyntaf, diolch i Robin Gwyndaf am fy nghyfeirio at y wybodaeth am ffynhonnau sydd ar gael yn Amgueddfa Werin Cymru, Sain Ffagan. Hefyd i Nia Rhosier, Pontrobert, Maldwyn am wybodaeth a nifer o luniau o ffynhonnau'r sir honno. Diolch yn arbennig i'm gŵr, Ken, am dynnu nifer helaeth o'r lluniau, am wneud y mapiau a sicrhau bod enwau personol ac enwau lleoedd y gyfrol yn gywir. Ef hefyd sy'n gyfrifol am y darluniau pen ac inc o'r ffynhonnau. Yn olaf, hoffwn ddiolch i Wasg Carreg Gwalch am ddiwyg glân y gyfrol.

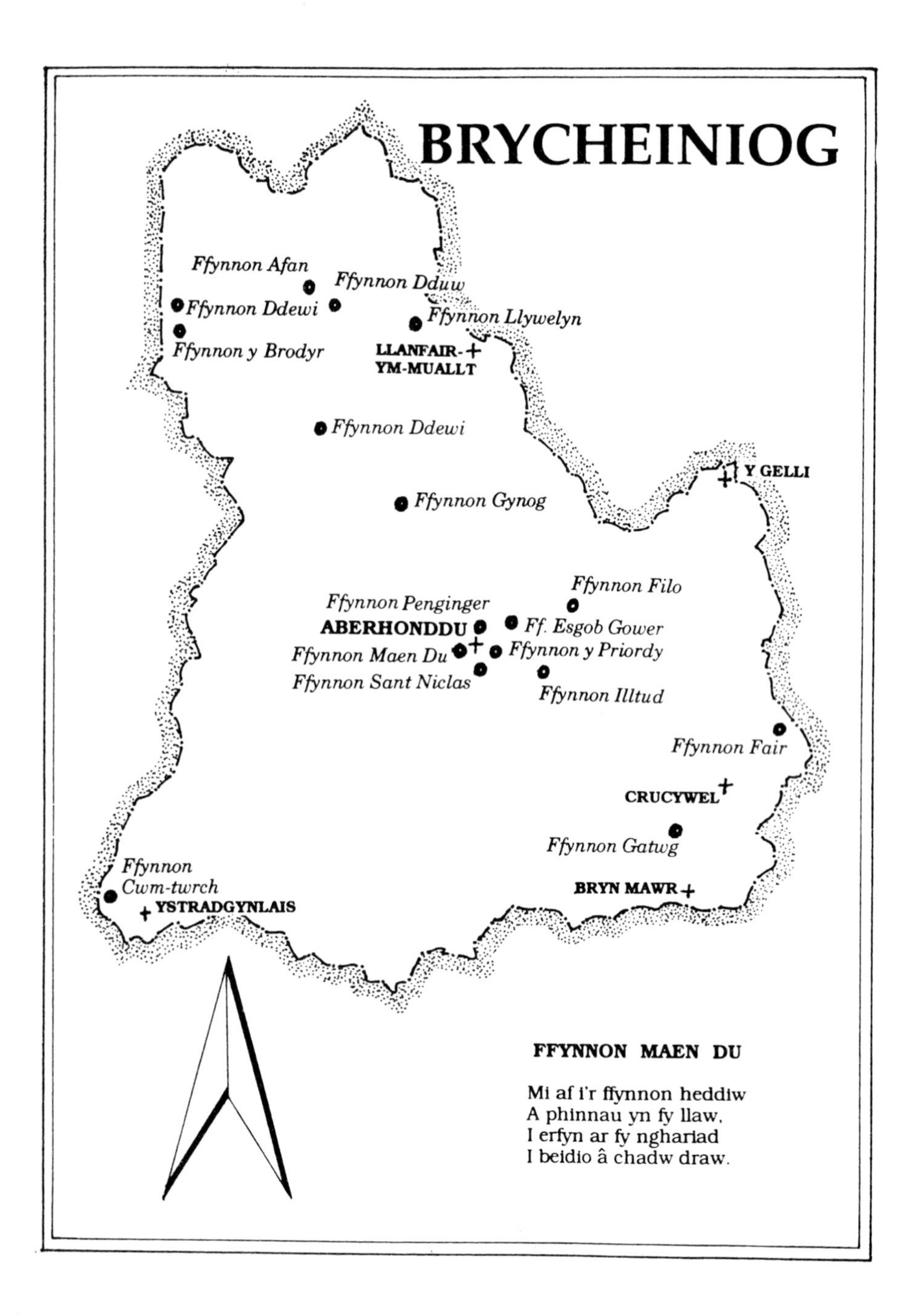

FFYNNON MAEN DU

Mi af i'r ffynnon heddiw
A phinnau yn fy llaw,
I erfyn ar fy nghariad
I beidio â chadw draw.

Ffynhonnau Brycheiniog

Er bod Brycheiniog yn ardal eang o ran tirwedd, ychydig o draddodiadau am ei ffynhonnau sydd wedi goroesi. Serch hynny, mae gan yr ardal hon ffynhonnau diddorol iawn.

Ffynnon Llywelyn, Cilmeri

Hwyrach mai'r ffynnon agosaf at galon pob Cymro gwerth ei halen yw Ffynnon Llywelyn yng Nghilmeri, plwyf Llanganten. Mae'r ffynnon i'w gweld yn ymyl y gofgolofn a godwyd i goffáu Llywelyn ein Llyw Olaf. Ger y clawdd rhwng y darn tir ble saif y gofgolofn a gardd y tŷ cyfagos, mae grisiau yn arwain i lawr at y ffynnon. Dywedir bod pen Llywelyn wedi ei olchi yn y ffynnon hon cyn iddo gael ei gludo at Edward y Cyntaf a oedd yn digwydd bod yn Rhuddlan ar y pryd. Yn ôl yr hanesydd Adda o Frynbuga, llifodd dŵr gwaedlyd o'r ffynnon i lawr y nant ar hyd Cwm Llywelyn am dridiau wedi'r llofruddiaeth. Cafodd y ffynnon hon ei hadnewyddu yn ddiweddar, a da o beth oedd hynny.

Ffynnon y Priordy, Aberhonddu

Yn ardal Aberhonddu, ceir nifer o ffynhonnau diddorol ac mae dwy yn y dref ei hun. Ceir un ger yr eglwys gadeiriol, sef Ffynnon y Priordy, ac fe offrymid pinnau yn y ffynnon hon ar un adeg. Heddiw, mae'r pistyll i'w weld o hyd ger yr hen ffordd uwchben yr afon.

Ffynnon Maen Du, Aberhonddu

Nid nepell o'r eglwys gadeiriol, mewn coedwig fechan ar gyrion stad o dai cyngor, mae Ffynnon Maen Du. Mae adeilad o gerrig dros y ffynnon sydd yn hen iawn ac fe geisiwyd harddu'r amgylchedd o gwmpas y ffynnon drwy osod llwybrau coed uwchben y llifeiriant o ddŵr a ddaw ohoni. Yn anffodus, mae plant yr ardal yn amharchu'r hen ffynnon fendigedig hon. Yr oedd yn hen arferiad gan ferched claf o gariad i offrymu pinnau yma. Yn wir, er ei bod yn hardd, mae holl awyrgylch y ffynnon yn gwneud rhywun yn bruddglwyfus. Credir bod cariadon yn dod at y ffynnon hefyd, i offrymu pinnau a thyngu llw o ffyddlondeb i'w gilydd. Mae'n debyg bod hon yn arfer bod yn hen ffynnon sanctaidd ond dros y canrifoedd dirywiodd i fod yn ddim byd ond ffynnon ofuned, er bod blas y cynfyd yn aros o'i chwmpas o hyd.

Ffynnon Sant Niclas, Aberhonddu

Ger Capel Sant Niclas, Aberhonddu, tarddai Ffynnon Sant Niclas. Credid gynt bod y ffynnon hon yn gallu gwella'r pâs a'r cyfog. Byddai pobl yn dod at y ffynnon o gryn bellter, hyd at drigain milltir, i gael y dŵr. Byddai hwnnw'n cael ei gario i'r claf ond er mwyn sicrhau gwellhad, ni ddylid gadael i'r botel neu'r cwpan oedd yn dal y dŵr gyffwrdd â'r ddaear. Rhaid oedd cael y dŵr arbennig yma yn union o'r pistyll. Nid oedd y dŵr yn addas i'w ddefnyddio at ddibenion arferol cadw tŷ, felly rhaid oedd i'r bobl leol fynd ychydig yn is i lawr na'r pistyll lle'r oedd tarddiad y dŵr i gael eu dŵr yfed. Erbyn hyn mae'r ffynnon hon wedi diflannu.

Ffynnon Penginger, Aberhonddu

Ffynnon sydd â hanes diddorol iawn iddi yw Ffynnon Penginger a gysegrwyd i Santes Eilwedd, merch Brychan. (Mae'n bosib mai ei henw hi a geir yn Llanelwedd. Fe'i gelwid yn Lludd, Alud ac Almedha hefyd.) Credir bod cell y santes ger Pencefngaer, tua milltir i'r dwyrain o Aberhonddu ger ffermdy Slwch. Dywed yr hanes fod Lludd yn ceisio dianc o afael rhyw dywysog Sacsonaidd ond cafodd ei dal a'i dienyddio. Syrthiodd ei phen i lawr yr allt cyn gorffwyso ger carreg fawr. Yno, tarddodd ffynnon a alwyd wedyn yn Ffynnon Penginger. Arferai pobl ddod at y ffynnon i adrodd Gweddi'r Arglwydd ac yna, yn wyrthiol, ymddangosai blewyn o wallt merch ar y garreg gerllaw. Roedd bri mawr ar ymweld â'r ffynnon hon ar ddiwedd yr ail ganrif ar bymtheg, yn enwedig ar ddechrau mis Awst er mwyn ceisio gwellhad. Ar ddechrau'r ganrif hon roedd y ffynnon wedi'i llanw â mwd a cherrig, ond gellid ei darganfod yn hawdd gan fod coeden ywen fawr yn tyfu gerllaw. Nid yw perchenogion presennol ffermdy Slwch yn gwybod am unrhyw ffynnon ar eu tir ac felly ni ellir lleoli safle'r ffynnon ag unrhyw sicrwydd. Fodd bynnag, mae'r tebygrwydd rhwng hanes Eilwedd a hanes Gwenffrewi yn drawiadol. Roedd ffynnon i un arall o ferched Brychan – Santes Cyngar – wrth droed un o fynyddoedd Brycheiniog. Bu hon yn ffynnon rinweddol o fri ar un adeg hefyd.

Ffynnon Esgob Gower, Llan-ddew

Nid nepell o Aberhonddu mae pentref Llan-ddew ac yno mae Ffynnon Esgob Gower. Roedd clas yma unwaith a daeth Gerallt Gymro i fyw i Balas yr Esgob yn 1175. Gellir dyddio Ffynnon Esgob Gower i'r cyfnod 1328-1347 pan oedd Hari Gower yn Archesgob Tyddewi ac fe'i gwelir gerllaw'r eglwys.

Ffynnon Gynog, Merthyr Cynog

Rhyw bedair milltir o Aberhonddu, tarddai Ffynnon Gynog mewn lle o'r enw Merthyr Cynog. Roedd y sant yn byw ar ben bryn uchel a elwid y Fan ond nid oedd dŵr yno. Gweddïodd Cynog am ddŵr a tharddodd ffynnon iddo ar ben y bryn. Dywedir hefyd bod y sant wedi cael ei ddienyddio a'i ben wedi syrthio i'r ffynnon. Sychodd honno ar unwaith fel arwydd o barch ato. Yn ôl y chwedl, cododd Cynog ei ben a'i gario nes y daeth at lwyn arbennig ble y gorweddodd a bu farw.

Ffynnon Llywelyn, Cilmeri

Ffynnon y Priordy, Aberhonddu

Ffynnon Fair, Patrisio

Ym mhlwyf Patrisio, ceir ffynnon wedi ei chysegru i Fair a ffynnon wedi ei chysegru i Isho neu Issu. Mae Ffynnon Isho islaw'r eglwys ac ers talwm roedd adeilad o'i chwmpas a mannau arbennig yn y muriau ble gellid rhoddi cwpanau i yfed y dŵr ohonynt. Hefyd, gadawyd rhoddion fel arwydd o ddiolch am wellhad yn y cilfachau hyn.

Ffynhonnau Dewi, Afan, Milo, Catwg ac Illtud

Ceir dwy ffynnon i Ddewi ym Mrycheiniog – y naill yn Llangamarch a'r llall ger eglwys Llanddewi Abergwesyn. Mae Ffynnon Afan ym mhlwyf Llanafan, Ffynnon Filo yn Llanfilo, Ffynnon Gatwg yn Llangatwg a Ffynnon Illtud yn Llanhamlach ble mae'r nant sy'n llifo o'r ffynnon yn ffurfio ffin rhwng y plwyf hwnnw a phlwyf Llansanffraid.

Ffynnon Dduw, Llanafan

Ffynnon ddiddorol arall yw Ffynnon Dduw ym mhlwyf Llanafan Fawr ar dir Fronwen. Yn ôl yr hanes, gallai hon wella nifer o afiechydon wrth i rywun ymdrochi yn ei dyfroedd. Roedd y ffynnon yn mesur naw troedfedd wrth dair ac yn ddigon dwfn i ddyn ymolchi ynddi. Un peth hynod iawn amdani oedd mai ar ddydd Sul yn unig y byddai'n rhoi iachâd. Wedi ymdrochi yn y ffynnon, rhaid oedd taflu pin iddi. Yn ei hymyl roedd tŷ bach ble gallai'r sawl oedd wedi bod yn y ffynnon newid ei ddillad. Roedd dau darddiad arall yn is i lawr na'r brif ffynnon, sef Ffynnon Llygaid a Ffynnon Traed i olchi'r pen a'r traed. Pan oedd yn ei bri, byddai pobl o siroedd Brycheiniog, Maesyfed ac Aberteifi yn heidio iddi, yn enwedig yn yr haf, a byddai'n rhaid iddynt aros eu tro cyn cael mynd at y ffynnon. Erbyn dauddegau'r ugeinfed ganrif roedd wedi llanw â thyfiant ond byddai'r hen bobl yn dal i sôn am yr iachâd a gafwyd ynddi.

Ffynnon y Brodyr, Abergwesyn

Ffynnon arall sydd â hanes diddorol iddi yw Ffynnon y Brodyr yn Abergwesyn. Mae'r ffynnon hon i'w gweld rhyw ddwy filltir y tu allan i Abergwesyn ar fin y ffordd sy'n arwain i Dregaron. Yn agos at darddiad afon Irfon, mewn man a elwid yn Fagwyr Aber Ceinciau, trigai William Pely neu Pelly. Roedd ei frawd wedi ymfudo i wlad dramor ers blynyddoedd a chredai William ei fod wedi marw yno. Un dydd, daeth gŵr bonheddig i chwilio am William ond nid oedd hwnnw gartref am ei fod wedi mynd i Abergwesyn. Cynigiodd y forwyn frwyn i'w farch gan ddangos pa mor dlawd oedd William Pelly. Penderfynodd y gŵr bonheddig fynd i Abergwesyn gan obeithio cyfarfod William yno. Cyfarfu'r ddau â'i gilydd rhyw ddwy filltir y tu draw i Abergwesyn. Gwelodd William ei gyfle ac ymosododd ar y gŵr bonheddig a'i ladd. Wrth ysbeilio'r corff, daeth ar draws rhywbeth oedd yn profi mai ei

Ffynnon Maen Du, Aberhonddu

Ffynnon Esgob Gower, Llan-ddew

frawd ydoedd. Cymaint oedd ei drallod pan sylweddolodd pwy oedd wedi ei ladd nes iddo wneud amdano'i hun yn y fan a'r lle. Cafwyd hyd i gyrff y ddau yn gorwedd gerllaw ffynnon a Ffynnon y Brodyr fu'r enw arni byth ers hynny.

Ffynhonnau Spa

Daeth trefi fel Llanfair-ym-Muallt, Llangamarch a Llanwrtyd yn enwog am eu ffynhonnau iachusol yn ystod y bedwaredd ganrif ar bymtheg. Yn y cyfnod hwn byddai tyrru mawr atynt. Arferai parau dreulio eu mis mêl mewn trefi megis Llanwrtyd a chynhaliwyd gweithgareddau fel eisteddfodau yno i ddiddori'r ymwelwyr. Erbyn heddiw, anghofiwyd am rinweddau'r ffynhonnau hyn er bod yr ymdrech i ddenu ymwelwyr yn parhau.

Ffynhonnau Llanfair-ym-Muallt

Ceir gwybodaeth ddogfennol am ffynhonnau iachusol Llanfair-ym-Muallt sy'n dyddio'n ôl i 1747. Mewn llawysgrif yn yr Amgueddfa Brydeinig cawn wybodaeth fod ffynnon feddyginiaethol ger gwesty'r *Black Lion* yn y dref. Mae'n anodd gwybod beth oedd natur y dŵr ond mae'n bur debyg fod mwynau ynddo. Roedd llawer yn cyrchu at y ffynnon ac yn derbyn iachâd. Erbyn hyn, mae lleoliad y ffynnon hon wedi ei cholli.

Bu raid aros tan dridegau'r bedwaredd ganrif ar bymtheg cyn i ffynhonnau hallt y Parc a ffynhonnau sylffwr y Glanne ddod yn enwog, ond yna, tyfodd y dref gan fod rhaid adeiladu gwestai ar gyfer yr holl ymwelwyr.

Ffynhonnau Llangamarch

Y lleiaf o'r trefi sy'n enwog am eu ffynhonnau yw Llangamarch. Ceir ffynhonnau mewn rhai o'r pentrefi cyfagos hefyd. Dywedir mai *barium chloride* sy'n y dŵr a'i fod yn llesol at achosion o glefyd y galon. Maent y gorau o'u bath ym Mhrydain. Heddiw, gellir gweld y *Pump Room* yng ngerddi gwesty'r *Lake* a gellir darllen faint oedd pris un gwydraid o ddŵr a manylion eraill ar hen hysbysfwrdd.

Yr hen enw ar Ffynnon Llangamarch oedd Ffynnon Cwmdylan am mai ar dir fferm Cwmdylan y tarddodd. Dywedir bod y ffynnon wedi'i darganfod yn 1834 gan ŵr o'r enw Thomas Jones. Yr oedd ef a'i wraig Mary a'u plant niferus yn byw yng Nghoedladdau ble adeiladwyd y *Pump House Hotel* yn ddiweddarach. Adnabyddid Thomas yn lleol fel Tomos Goes y Dryw am ei fod yn gloff. Un dydd Sul yn yr haf, aeth Tomos ac un o'i feibion â'r mochyn i'r afon i'w olchi ond roedd y dŵr yn isel. Tynnodd y mab sylw'r tad at darddiad yng ngheulan yr afon. Roedd tyfiant o lysiau glas o gwmpas y tarddiad ac roedd y dŵr yn arogli'n gryf iawn. Dywedodd Tomos wrth ei gyd-ardalwyr am y ffynnon ac fe

Ffynnon Fair, Patrisio

Ffynnon Cwm-twrch

anfonwyd peth o'r dŵr at Dr Lukas yn Aberhonddu. Fe'i hanfonodd yntau ef i Lundain iddo gael ei ddadansoddi. Dyma sut y daeth rhinweddau'r ffynnon iachusol hon i sylw'r byd am y tro cyntaf.

Ymhen rhai blynyddoedd, cynyddodd nifer yr ymwelwyr yn sylweddol a bu rhai yn cymryd mantais o hyn. Roedd dyn o'r enw Jac Cwmdwylan yn codi tair ceiniog y dydd ar bawb am yfed y dŵr. Disgrifiwyd Jac fel dyn anwybodus ac anllythrennog ond gwelodd ei gyfle i wneud ceiniog neu ddwy serch hynny. Un dydd Sul, roedd Jac yn gwrando ar bregeth am y ffynnon sy'n glanhau pob afiechyd a hynny yn rhad i bawb a ddeuai ati. Ar ddiwedd y cyfarfod aeth Jac at y pregethwr a dweud wrtho ei fod wedi gwneud camgymeriad – nad oedd dŵr y ffynnon yn rhad ac am ddim ac mai tair ceiniog y dydd oedd ei bris!

Ffynhonnau Llanwrtyd

Roedd dŵr ffynhonnau Llanwrtyd hefyd yn dda at glefyd y galon. Darganfuwyd rhinweddau meddyginiaethol Ffynnon Dolycoed yn 1732 gan un a fu'n ficer yno o 1732 tan 1767, sef y Parchedig Theophilus Evans. Gwelodd lyffant yn nofio yn y dŵr drewllyd a meddyliodd os nad oedd y dŵr yn niweidiol i'r llyffant, ni fyddai'n niweidiol iddo yntau ychwaith. Roedd yn dioddef o'r clefri *(scurvy)* ar y pryd a dechreuodd yfed y dŵr yn rheolaidd. O fewn dau fis roedd yn holliach. Yn 1738 ysgrifennodd erthygl i'r *St James' Chronicle* yn sôn am y ffordd y bu'n defnyddio'r dŵr gan olchi ei gorff ynddo bob dydd. Bu William Williams Pantycelyn yn giwrad i Theophilus Evans yn Llangamarch o 1740 tan 1743 a chredir mai'r ffynnon hon fu'n ysbrydoliaeth iddo ysgrifennu'r emyn 'Heddiw ffynnon a agorwyd . . . '.

Am ugain mlynedd a mwy ar ôl ei darganfod, ni wnaed dim i newid y ffynnon a darddai yng nghanol gweundir gwlyb a chorsiog gyda llawer o lus gwyn yn tyfu o'i chwmpas a'i harogl i'w chlywed o bell. Yna, oddeutu 1800, codwyd rhyw fath o dŷ bychan o amgylch y ffynnon. Aeth hanes y dŵr rhinweddol ar led a daeth miloedd o ddieithriaid i Lanwrtyd i geisio gwellhad.

Yr un fu'r diddordeb mewn dyfroedd iachusol yn Llanwrtyd, Llangamarch a Llanfair-ym-Muallt fel yn Llandrindod ond wedi blynyddoedd y poblogrwydd mawr lleihaodd nifer yr ymwelwyr. Daeth pobl i ddibynnu fwyfwy ar feddyginiaethau'r doctoriaid gan droi eu cefnau ar hen feddyginiaethau a fu'n gwella'r werin am ganrifoedd. Diystyrwyd ffynhonnau iachusol o bob math fel ofergoeledd ac fe'u hesgeuluswyd. Bellach, adnewyddwyd y ffynhonnau yn Llanwrtyd gan roddi iddynt yr un crandrwydd ag a gafwyd yn ystod oes aur y ffynhonnau iachusol.

Ffynnon Cwm-twrch

Erbyn hyn mae pobl yn gweld gwerth dyfroedd bywiol yr hen ffynhonnau a does yr un ffynnon yn profi hynny'n well na Ffynnon Cwm-twrch. Mae'r ffynnon wedi bod yn enwog am ei dyfroedd meddyginiaethol ers dwy ganrif. Yn ystod saithdegau'r bedwaredd ganrif ar bymtheg, anfonodd Dr D. Thomas o Ystalyfera sampl o'r dŵr i'w ddadansoddi a chafwyd fod ynddo lawer o sylffwr a'i fod yn anffaeledig at wella'r manwyn, y cricymalau a'r grafel. Mewn adroddiad a luniwyd yn 1993, cadarnhaodd Dr W.J. Lewis, Swyddog Iechyd yr ardal, bod dŵr y ffynnon yn werthfawr iawn. Ychwanegwyd cengroen ac ecsima at yr anhwylderau y gellid eu gwella drwy yfed y dŵr. Gellir arogli'r sylffwr wrth nesáu at y ffynnon ac fe'i gelwir ar lafar gwlad yn Ffynnon Ddrewllyd neu Ffynnon y Gnec. Bu bri mawr ar y ffynnon o 1880 ymlaen; yn wir, roedd yn gyrchfan i dyrfaoedd a ddeuai ati o siroedd Caerfyrddin a Cheredigion. Yr oedd yn boblogaidd iawn hyd 1912. Ar ddiwedd y Rhyfel Byd Cyntaf rhoddwyd y ffynnon a'r tir o'i chwmpas yn rhodd i'r cyhoedd gan Colonel Fleming Gouch, ond dirywiodd ei chyflwr yn ystod y ganrif hon. Yna, yn 1993, adnewyddwyd y ffynnon ac mae bellach yng ngofal Cyngor Cymuned Ystalyfera. Gall nifer o drigolion lleol dystiolaethu i werth meddyginiaethol dŵr Ffynnon Cwm-twrch at atal moelni, gwella'r cricymalau ac anhwylderau'r ysgyfaint.

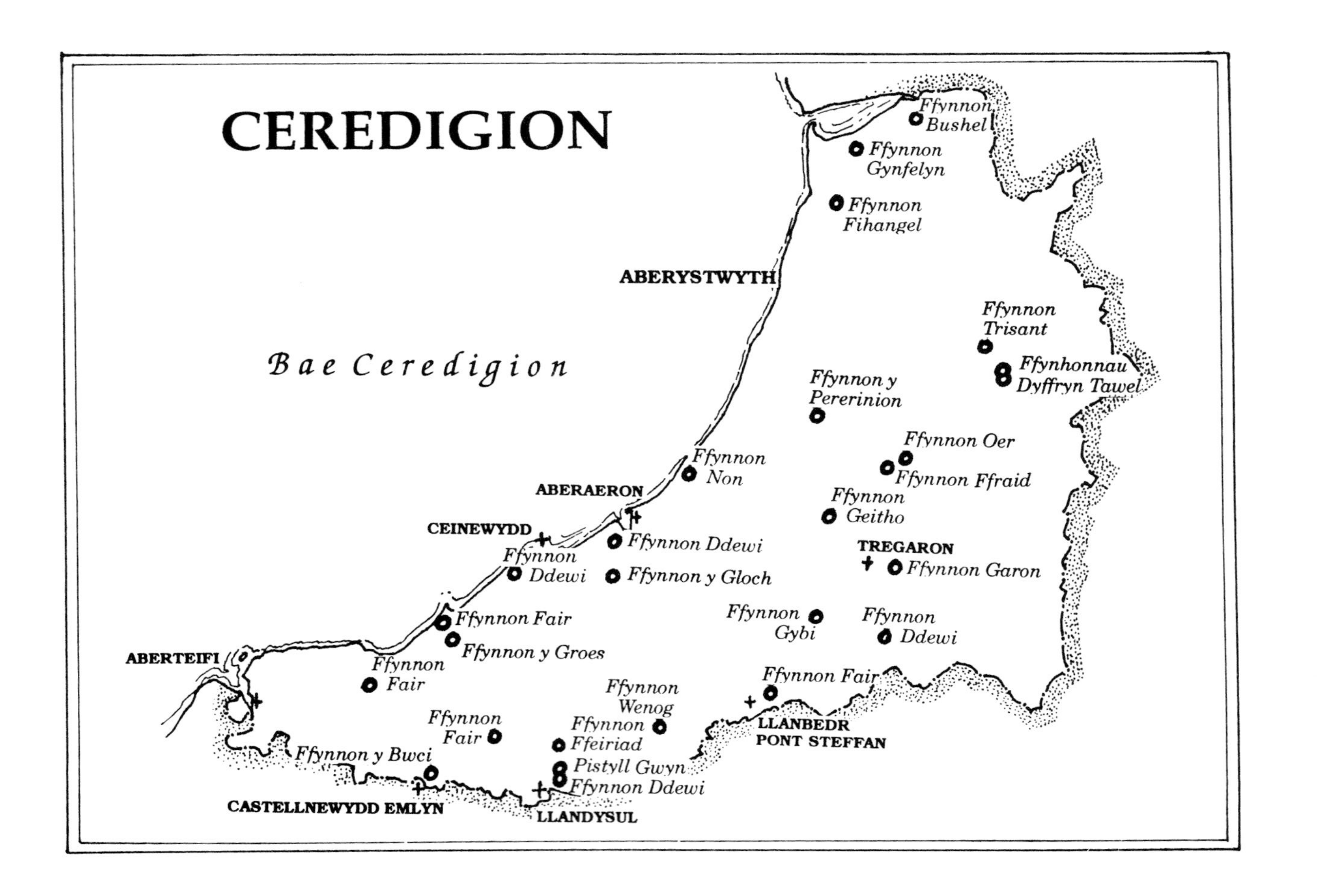

CEREDIGION
Bae Ceredigion
Ffynnon Bushel
Ffynnon Gynfelyn
Ffynnon Fihangel
ABERYSTWYTH
Ffynnon Trisant
Ffynhonnau Dyffryn Tawel
Ffynnon y Pererinion
Ffynnon Oer
Ffynnon Ffraid
Ffynnon Non
ABERAERON
Ffynnon Geitho
CEINEWYDD
Ffynnon Ddewi
TREGARON
Ffynnon Garon
Ffynnon Ddewi
Ffynnon y Gloch
Ffynnon Fair
Ffynnon Gybi
Ffynnon Ddewi
Ffynnon y Groes
ABERTEIFI
Ffynnon Fair
Ffynnon Fair
Ffynnon Wenog
Ffynnon Fair
Ffynnon Ffeiriad
LLANBEDR PONT STEFFAN
Ffynnon y Bwci
Pistyll Gwyn
Ffynnon Ddewi
CASTELLNEWYDD EMLYN
LLANDYSUL

Ffynhonnau Ceredigion

Mae Ceredigion yn ardal gyfoethog iawn ei ffynhonnau a nifer ohonynt â chysylltiadau â'n nawddsant, Dewi, neu aelodau o'i deulu.

Ffynnon Ddewi, Henfynyw

Ger tref Aberaeron mae eglwys Henfynyw ac yno, yn ôl traddodiad, y derbyniodd Dewi ei addysg am rai blynyddoedd. Yn ôl yr hanes, bwriad Dewi oedd adeiladu ei eglwys gadeiriol yn y fan honno ond nid felly y bu.

Nid nepell o eglwys Henfynyw, ger capel Ffos-y-ffin, mae Ffynnon Ddewi. Credir bod Dewi wedi cerdded bob cam o Dyddewi i'r fan honno mewn un diwrnod a'i fod wedi llwyr ddiffygio wedi'r daith o tua hanner can milltir. Eisteddodd i fwyta bara sych ond cyn dechrau, gofynnodd fendith ac yn ddisymwth tarddodd ffynnon o ddŵr crisialog wrth ei ymyl a gallodd yntau dorri ei syched. Ers hynny credir bod rhinwedd arbennig i ddŵr y ffynnon hon ac y daw iachâd i'r rhai gwael eu hiechyd sy'n yfed ohoni.

Ceir hanes diddorol arall am y ffynnon hon gan Marie Trevelyan yn ei llyfr *Folk-lore and Folk-stories of Wales*. Aeth hen ŵr i ymweld â'r ffynnon ar noswyl Nadolig. Clywodd lais yn galw arno o'r ffynnon a llaw yn codi o'r dŵr. Gofynnodd y llais iddo afael yn dynn yn y llaw. Gwnaeth yntau hynny ond llaciodd ei afael a llithrodd y llaw yn ôl i'r ffynnon. Clywyd y llais yn dweud, 'Rwy'n gaeth am hanner canrif arall.'

Ffynnon Ddewi, Llandysul

Ceir ffynnon wedi ei chysegru i Ddewi yn ymyl hen fynwent gerllaw Capel Dewi ar dir Gwarcoed ym mhlwyf Llandysul. Arferid cynnal ffair yn y fynwent a defnyddid dŵr y ffynnon i wneud cwrw. Gan fod y ffynnon mor agos i'r fynwent, dechreuwyd amau purdeb y dŵr a symudwyd y ffair i Lannarth. Yn ôl traddodiad, byddai dŵr y ffynnon hon yn llesol at wella'r pâs.

Ffynnon Ddewi, Llanddewibrefi

Yn naturiol, gellid disgwyl ffynnon i Ddewi mewn llan a enwyd ar ei ôl. Ceir ffynnon a gysegrwyd iddo ryw hanner milltir o Gogoian ym mhlwyf Llanddewibrefi. Pregethodd mewn synod yn Llanddewibrefi a chododd y tir o dan ei draed i bawb gael ei weld a'i glywed. Dyna pryd y cyfarfu â gwraig a oedd mewn cryn drallod am fod ei mab wedi marw. Aeth y sant gyda hi i'w bwthyn tlawd ac adfer iechyd y bachgen. Tarddodd ffynnon o dan lawr y tŷ ac fe alwyd y lle yn Ffynnon Ddewi byth ar ôl hynny.

Ffynnon Ddewi, Ceinewydd

Dylai trigolion Ceinewydd fod yn bobl iach iawn am mai o Ffynnon

Ddewi y bu'r pentref yn cael ei ddŵr yfed. Llifai dros ddeugain mil o alwyni o'r ffynnon hon bob dydd ac roedd y dŵr yn enwog am ei rinweddau iachusol. Mae cysylltiad rhwng Dewi a ffynnon arall hefyd, sef Ffynnon Feddyg ger Llanina. Dywed traddodiad fod merch ddall o'r enw Gwen yn arfer byw mewn bwthyn bach yn yr ardal ac roedd ffynnon gyferbyn â'r bwthyn. Clywodd Gwen fod gŵr yn mynd o gwmpas yr ardal yn gwella cleifion a'r gŵr hwnnw oedd Dewi Sant. Aeth Dewi heibio i fwthyn Gwen ar ei ffordd i sir Benfro ac aeth Gwen allan ato a gofyn iddo wella ei llygaid. Fe'i galwodd yn 'Arglwydd' a dywedodd yntau nad ef oedd yr Arglwydd. Golchodd Dewi lygaid Gwen â dŵr y ffynnon a'u gwella. Daeth y ffynnon yn un rinweddol wedi hynny.

Ffynnon Non, Llan-non

Saif pentref Llan-non ar y briffordd rhwng Aberaeron ac Aberystwyth ac yma roedd ffynnon i Non, mam ein nawddsant. Roedd hon yn ffynnon fawr gyda lle i bobl eistedd o'i chwmpas. Byddai pobl yn arfer dod at y ffynnon ar ddydd Santes Non, sef Mawrth y trydydd, a thaflu arian fel offrwm i'r dŵr. Byddent yn gwneud dymuniad ac os oeddent yn cadw'r dymuniad yn gyfrinach a'u ffydd yn ddigonol, byddai eu deisyfiadau yn cael eu gwireddu. Dyma enghraifft dda o ffynnon sanctaidd yn cael ei diraddio i fod yn ddim byd ond ffynnon ofuned â threigl amser.

Ffynnon Gybi, Llangybi

Dros y ffordd i Gapel Maesyffynnon ym mhentref Llangybi, ar fin y ffordd rhwng Llanbedr Pont Steffan a Thregaron, mae Ffynnon Gybi neu Ffynnon Wen fel y galwodd Edward Lhuyd hi. Roedd hon yn enwog am ei gallu i wella anhwylderau ar yr esgyrn a llygaid poenus. Drysodd Fenton rhwng hon a Ffynnon Gybi yn sir Gaernarfon ac fe ddywedodd fod to wedi bod ar yr adeilad o'i chwmpas a lle i bobl eistedd yno. Yn anffodus, derbyniodd Francis Jones air Fenton yn ei lyfr godidog *The Holy Wells of Wales.* Nid yw'n bosibl fod unrhyw adeilad wedi sefyll ar safle Ffynnon Gybi, Ceredigion am nad oes prin ddigon o le i gerdded ati rhwng yr afon a'r codiad tir uwchben. Yn ôl traddodiad, os oedd rhywun am geisio gwellhad byddai'n rhaid iddynt ymolchi yn y dŵr cyn cerdded tua dau gan llath i gyfeiriad Llanbedr Pont Steffan nes dod at godiad tir a elwid Bryn Llech. Yma roedd cromlech fawr a elwid Llech Cybi. Rhaid oedd i'r claf gysgu noson o dan y gromlech er mwyn sicrhau gwellhad. Nid nepell o'r ffynnon mae ffermdy o'r enw Llety Cybi a saif ar y fan ble dywedir bod Cybi wedi lletya tra oedd yn aros yn yr ardal. Roedd y ffynnon hon ymysg nifer yng Ngheredigion ble câi'r pererinion eu disychedu ar eu ffordd i'r gwasanaeth cymun gyda Daniel Rowlands yn Llangeithio.

Ffynnon Gybi, Llangybi

Ffynnon y Pererinion, Llangwyryfon

Man cyfarfod arall i'r pererinion oedd y ffynnon gerllaw pentref Llangwyryfon. Yn wir, Ffynnon y Pererinion y'i galwyd. Deuai pobl o sir Gaernarfon ac ardaloedd eraill yng ngogledd Cymru i Langeitho bob rhyw ddau fis yn ôl yr hanes. Rhaid oedd cychwyn ddyddiau cyn y Sul er mwyn sicrhau y byddent yn cyrraedd Llangeitho mewn da bryd. Wedi dod mewn cwch i Aberystwyth, byddent yn cerdded ar draws gwlad i Langeitho a byddai cytundeb rhwng pererinion a'i gilydd i gyfarfod ger y ffynnon hon am naw ar fore dydd Sadwrn. Wedi bwyta eu bara ac yfed o'r ffynnon, cychwynnent am Langeitho i fwyta bara'r bywyd ac yfed dŵr bywiol yr Efengyl.

Ffynnon Geitho, Llangeitho

Roedd ffynnon i Sant Ceitho ym mhlwyf Llangeitho ers talwm. Deuai'r dŵr o'r graig a dywedir ei fod yn glaear haf a gaeaf wrth lifo i nant fechan. Dywedir hefyd bod dwy garreg wastad fawr y naill ochr i'r ffynnon ac un arall ar eu pennau. Roedd ysgrifen wedi ei gerfio ar y cerrig ond nid oes modd i ni heddiw wybod beth yn union oedd eu neges. Cludwyd y cerrig i Peterwell, cartref y meistr tir yn Llanbedr Pont Steffan cyn 1800.

Ffynnon Oer, Swyddffynnon

Ym mhentref Swyddffynnon, nid nepell o Ystrad Meurig, mae pistyll a fu gynt yn ffynnon rinweddol. Roedd y dŵr yn eithriadol o oer, yn wir, hen enw'r pentref oedd Swydd Ffynnon Oer. Roedd dŵr Ffynnon Oer yn dda iawn at wella cricymalau. Pan ddanfonwyd y dŵr i ffwrdd i gael ei ddadansoddi, nodwyd bod olion o aur ynddo. Heddiw, bydd pobl sy'n dioddef o gricymalau yn cael chwistrelliad o aur i'w helpu a dyma pam, o bosibl, y mae'r ffynnon arbennig hon yn dda at drin anhwylderau'r cymalau.

Ffynnon Ffraid, Swyddffynnon

Ar dir fferm Cynhawdre, nid nepell o bentref Swyddffynnon, ceir ffynnon hynod iawn ei phensaernïaeth: Ffynnon Ffraid. Mae hon yn hen ffynnon sanctaidd sy'n dyddio'n ôl i'r bedwaredd ganrif ar ddeg. Siâp cwch gwenyn sydd iddi a dywedir bod mynaich o Ystrad-fflur yn arfer dod at y ffynnon i dorri eu syched wrth gerdded tua'r arfordir. Roedd lleiandy i Santes Ffraid ar lan y môr rhwng pentrefi Llanrhystud a Llansanffraid. Dywedir bod Ffraid wedi dangos trugaredd tuag at wahangleifion yn ystod ei hoes ac roedd ysbyty i wahangleifion yn ardal Swyddffynnon yn yr Oesoedd Canol. Yn anffodus, collwyd unrhyw draddodiadau gwerin a fu unwaith ynghlwm wrth y ffynnon yma, ond mae'n dal i fod yn ffynnon hynod ddiddorol serch hynny.

Ffynnon Wenog, Llanwenog

Mae amryw o ffynhonnau eraill wedi eu cysegru i saint yng Ngheredigion a llawer ohonynt ger eglwysi a gysegrwyd i'r un sant. Yn ymyl mynwent eglwys y plwyf, Llanwenog, ceir Ffynnon Wenog. Byddai mamau yn arfer mynd â babanod eiddil a gwan i'r ffynnon cyn toriad gwawr a'u golchi yn y dŵr. Credid y byddai'r plentyn yn cryfhau wedi hynny am ei fod wedi derbyn bendith y santes.

Ffynnon Gynfelyn, Llangynfelyn

Ym mynwent eglwys Llangynfelyn mae Ffynnon Gynfelyn. Fe'i hadnewyddwyd yn ddiweddar ac fe'i gwelir yn glir o'r ffordd fawr. Ers talwm byddai pobl yn golchi eu traed yn y ffynnon ac yn cario dŵr oddi yno mewn poteli i'w ddefnyddio fel moddion. Os oedd y dŵr i gael ei ddefnyddio at anhwylderau claf gorweddiog, rhaid oedd cyrchu'r dŵr o'r ffynnon o dan amodau arbennig. Rhaid oedd ei nôl wedi iddi nosi a hynny heb dorri gair, ac nid oedd y llestr a gariai'r dŵr i gael ei osod ar lawr nes ei fod yn cyrraedd erchwyn gwely'r claf.

Erbyn hyn nid oes dŵr yn y ffynnon. Roedd yn ffynnon reit ddofn ar un adeg, tua deg troedfedd o ddyfnder. Tybed oedd y bobl yn arfer eistedd ar y mur sydd o'i chwmpas i olchi eu traed? Roedd bri mawr ar y

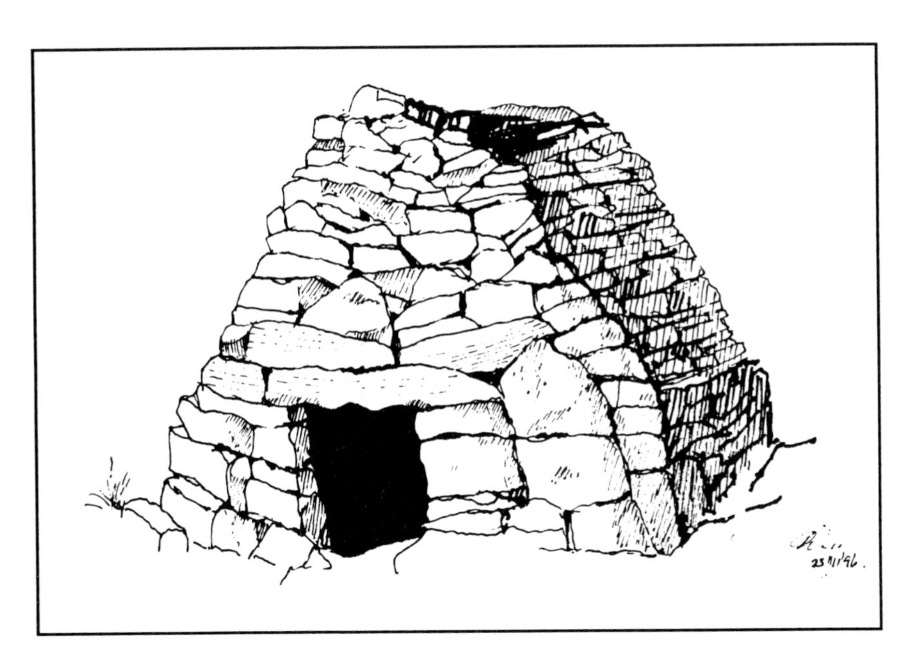

Ffynnon Ffraid, Swyddffynnon

Ffynnon Gynfelyn, Llangynfelyn

dŵr fel moddion mor ddiweddar ag 1911 ond erbyn hyn, does fawr neb yn gwybod am yr arferion a'r traddodiadau hyn.

Ffynnon Garon, Tregaron

Ger fferm Glanbrenig ym mhlwyf Tregaron mae Ffynnon Garon. Ar y pumed o Fawrth, dydd Gŵyl Sant Caron, byddai plant yr ardal yn arfer gorymdeithio at y ffynnon ers talwm. Byddai pob un yn cario potel fach a thipyn o siwgr coch ynddi. Wedi cyrraedd y ffynnon, byddent yn sefyll mewn hanner cylch o'i chwmpas a phob un yn ei dro yn llanw'i botel â'r dŵr. Wedi ysgwyd y botel nes bod y siwgr wedi toddi ac aros nes bod pawb yn barod, yfent bob diferyn gyda'i gilydd. Ar Sul y Pasg, byddai cariadon yn dod at y ffynnon a rhoi bara gwyn yn anrheg i'w gilydd cyn yfed y dŵr. Deuai pobl o dalgylch eang o gwmpas Tregaron i ymweld â'r ffynnon ar yr achlysuron hyn.

Ffynnon Fair, Llangynllo ac eraill

Mae nifer o ffynhonnau wedi eu cysegru i Fair yng Ngheredigion. Roedd Ffynnon Fair yng Nghwm Wernddu, plwyf Llangynllo, yn gwella'r pâs ac afiechydon cyffredin eraill. Yn ystod y pumdegau roedd pobl yn dal i gofio'r ffynnon yn cael ei defnyddio i wella anhwylderau. Ceir ffynhonnau eraill i Fair yn agos at Lanwnen ger Blaen-porth ym mhlwyf Llanbedr Pont Steffan, ac ym mhlwyf Llangrannog hefyd.

Ffynnon y Groes, Llangrannog

Nid nepell o eglwys y plwyf, Llangrannog, mae Ffynnon y Groes. Yn ôl traddodiad, roedd pererinion yr Oesoedd Canol yn arfer gorffwyso wrth y ffynnon hon ac wedi yfed y dŵr, byddent yn ymgroesi. Dywed traddodiad arall fod Sant Carannog wedi ymgroesi yma ar ôl yfed o'r dŵr. Esboniad arall yw fod hen groes Geltaidd o garreg wedi ei chodi gerllaw'r ffynnon ac mai felly y cafodd ei henw.

Ffynnon Trisant, Pontarfynach

Gerllaw Pontarfynach roedd Ffynnon Trisant – tair ffynnon wahanol, droedfedd oddi wrth ei gilydd. Dywedir bod gan bob un ei rhinwedd arbennig ei hun: y gyntaf i wella llygaid, yr ail i wella clwyfau ac anhwylderau'r croen a'r drydedd ar gyfer afiechydon cyffredinol. Byddai rhai cloffion oedd wedi cael gwellhad yn y ffynhonnau hyn yn gadael eu baglau yn ffermdy Dolcoion gerllaw.

Ffynnon Llanfihangel Genau'r-glyn

Gadael ei baglau a cherddded hebddynt wnaeth merch o sir Forgannwg ar ôl iddi ymweld â'r ffynnon sanctaidd gerllaw mur dwyreiniol eglwys y plwyf, Llanfihangel Genau'r-glyn. Digwyddodd hyn oddeutu 1911. Bryd hynny roedd adeilad o gwmpas y ffynnon a deuai llawer o ymwelwyr yno i geisio iachâd.

Ffynhonnau Ystrad-fflur

Ger abaty Ystrad-fflur mae nifer o ffynhonnau â mwynau arbennig yn eu dyfroedd. Roedd llawer yn cyrchu atynt ar ddechrau'r ganrif i geisio rhyddhad o'u anhwylderau. Fe'u galwyd yn Ffynhonnau Dyffryn Tawel.

Ffynnon y Gloch, Llannarth

Nid hanes gwella sydd i bob ffynnon. Mae gan ambell un draddodiadau go amheus yn ymwneud ag ysbrydion a'r Diafol ei hun hyd yn oed. Ger eglwys Llannarth mae Ffynnon y Gloch. Dywedir bod melltith ar y ffynnon hon. Os bydd pobl yn sefyll gerllaw'r ffynnon, ni fyddant yn gallu clywed clychau'r eglwys yn canu. Yn ôl yr hanes roedd y Diafol wedi dwyn cloch o glochdy Llanbadarn Fawr ac wedi aros i orffwys ger y ffynnon hon. Ers hynny mae melltith ar y lle.

Ffynhonnau Llandysul

Ceir hanesion am ysbrydion ger ffynhonnau hefyd. Ym mhlwyf Llandysul, mewn dyffryn rhwng Blaen-cwm a'r Faerdre Fawr, mae Ffynnon Ffeirad. Dywedir bod ysbryd offeiriad a drigai yn yr ardal ers talwm wedi ei weld ger y ffynnon hon. Dywedir bod ysbryd Dafis Castell Hywel (1745-1827) wedi codi ofn ar lawer morwyn gerllaw Pistyll Gwyn ym mhlwyf Llandysul, a bod ysbryd i'w weld ger Ffynnon y Bwci hefyd.

Ffynnon Bushel, Tre'r-ddôl

Hwyrach mai'r hanes rhyfeddaf am ffynnon yw'r un am Ffynnon Bushel ger Tre'r-ddôl. Roedd Thomas Bushel yn byw yng nghyfnod Siarl y Cyntaf a daeth yn gyfoethog drwy gloddio plwm yn yr ardal. Disgrifia Evan Isaac Ffynnon Bushel fel hyn yn ei lyfr *Coelion Cymru*:

> Yn y goedwig, ychydig i'r gogledd oddi wrth y plas, y mae ffynnon mewn craig, a'r graig yn dod iddi. Ei maint yw pedair troedfedd o hyd, dwy ar ei thraws, a'i dyfnder yn ddeunaw modfedd . . .

Yn ôl traddodiad, llofruddiodd Thomas Bushel ei wraig a gwthiodd ei chorff i'r ffynnon ger plas Lodge Park. Byth ers hynny fe alwyd y ffynnon yn Ffynnon Bushell.

Gwelir bod ffynhonnau Ceredigion, llawer ohonynt wedi eu cysegru i'r saint, wedi cynnig iachâd i'r werin am ganrifoedd. Drwy ryfedd wyrth mae nifer helaeth ohonynt i'w gweld o hyd a rhai yn cael eu defnyddio i ddisychedu trigolion yr ardal hyd heddiw. Gwelwn hefyd fod ambell un wedi cael enw drwg am fod traddodiad yn ei chysylltu â gweithred neu hanes amheus. Mae'r Cardi yn un hael ei ddychymyg er ei fod yn un digon cybyddlyd gydag ambell beth arall!

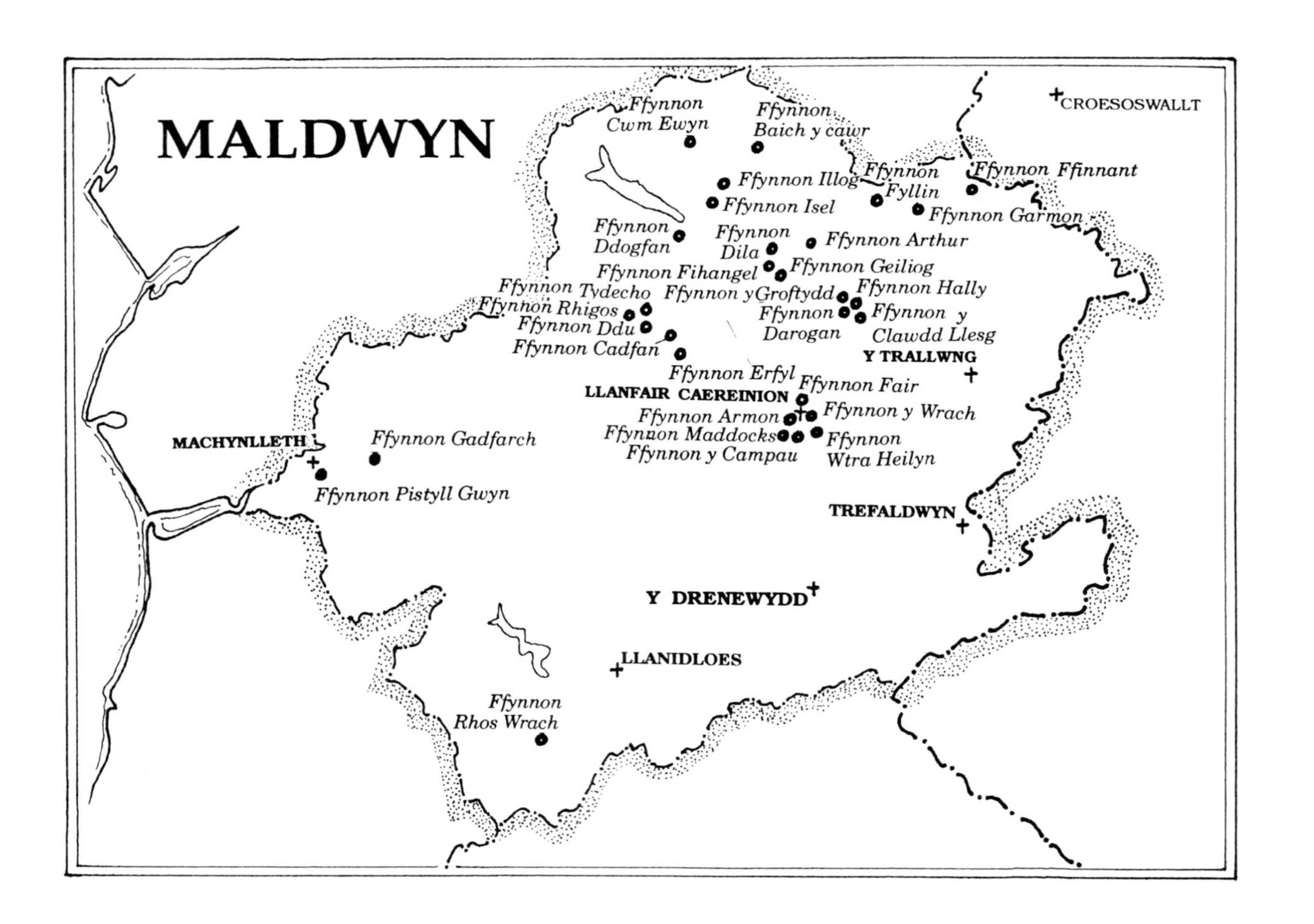
MALDWYN
CROESOSWALLT
Ffynnon Cwm Ewyn
Ffynnon Baich y cawr
Ffynnon Illog
Ffynnon Fyllin
Ffynnon Ffinnant
Ffynnon Isel
Ffynnon Garmon
Ffynnon Ddogfan
Ffynnon Dila
Ffynnon Arthur
Ffynnon Fihangel
Ffynnon Geiliog
Ffynnon Tydecho
Ffynnon y Groftydd
Ffynnon Hally
Ffynnon Rhigos
Ffynnon Darogan
Ffynnon y Clawdd Llesg
Ffynnon Ddu
Ffynnon Cadfan
Y TRALLWNG
Ffynnon Erfyl
Ffynnon Fair
LLANFAIR CAEREINION
Ffynnon Armon
Ffynnon y Wrach
Ffynnon Maddocks
Ffynnon Wtra Heilyn
Ffynnon y Campau
MACHYNLLETH
Ffynnon Gadfarch
Ffynnon Pistyll Gwyn
TREFALDWYN
Y DRENEWYDD
LLANIDLOES
Ffynnon Rhos Wrach

Ffynhonnau Maldwyn

Mae Maldwyn yn adnabyddus am ei mwynder – am fwynder ei thirwedd a'i phobl. Roedd nifer o ffynhonnau iachusol yn yr ardal hon hefyd ers talwm ac yn wir, mae ambell ffynnon wedi ei hadfer a'i diogelu yn gymharol ddiweddar.

Ffynnon Pistyll Gwyn, Machynlleth

Yn nhref Machynlleth, rhaid oedi am ychydig ar Gomin Penrallt i weld Ffynnon Pistyll Gwyn a oedd yn llesol at wella cyhyrau wedi eu hysigo. Yna, wrth deithio i gyfeiriad Cemais a Mallwyd, deuwn at ardal ble mae nifer o eglwysi wedi eu cysegru i Sant Tydecho. Serch hynny, rhaid mynd i ardal Garthbeibio cyn dod o hyd i Ffynnon Tydecho ger eglwys y plwyf.

Ffynnon Tydecho, Garthbeibio

Roedd hon yn hen ffynnon gyda lle i ddelw o'r sant ynddi ar yr ochr ogleddol. Delw o ben Tydecho ydoedd, ond tua chanol y ganrif ddiwethaf dygwyd pen y sant gan blant anystyriol medd rhai, a'i ddefnyddio i chwarae ag o ar lan yr afon. Mae'n debyg ei fod wedi ei daflu i'r dyfroedd yn y diwedd. Roedd y ffynnon yn enwog am ei gallu i wella cricymalau. Arferai cleifion yfed y dŵr ac ymolchi ynddo hefyd. Taflwyd llawer o binnau i'r ffynnon ac ni fyddai neb yn beiddio'u tynnu oddi yno.

Ffynnon Ddu a Ffynnon Rhigos

Mae nifer o ffynhonnau ym mhlwyf Garthbeibio; yn wir, mae hen ffynnon o'r enw Ffynnon Ddu nid nepell o Eglwys Sant Tydecho ei hun. Gerllaw yr eglwys honno mae Ffynnon Rhigos hefyd. Mae'r dŵr yn oer iawn a dywedir ei fod yn arbennig o dda at wella llygaid poenus. Byddai'r plwyfolion yn dod at y ffynnon hon i yfed dŵr a siwgr ar Ddydd Mercher Lludw a Suliau'r Drindod ers talwm.

Ffynnon Gadfarch a Ffynhonnau Penegoes

Mae ffynhonnau i saint eraill, llai adnabyddus, ym Maldwyn; saint sydd heb roi eu henwau i lannau. Roedd Ffynnon Gadfarch, a oedd yn dda at gricymalau, mewn cae gerllaw eglwys Penegoes (a elwid gynt yn Llangadfarch). Mae'r eglwys yno wedi ei chysegru i Cadfarch.

Mae dwy ffynnon rinweddol arall gerllaw'r ysgol, gyda muriau cerrig o'u cwmpas a grisiau yn arwain i lawr at y dŵr sydd tua dwy droedfedd o ddyfnder. Dywedir bod dŵr un ffynnon yn oerach na dŵr y llall. Bu cryn bererindota atynt ers talwm. Yr adeg honno, mae'n debyg fod to o ryw fath drostynt. Glanhawyd y ffynhonnau gan y cyngor lleol yn 1980 a chafwyd oddeutu pedair tunnell ar hugain o faw ohonynt. Wedi iddynt gael eu glanhau, llanwodd y ffynhonnau â dŵr unwaith eto.

Ffynhonnau Llanrhaeadr-ym-Mochnant

Ger Llyn Efyrnwy ym mhlwyf Llanwddyn roedd Ffynnon Ddogfan a oedd yn enwog am wella llygaid poenus. Cysegrwyd eglwys Llanrhaeadr-ym-Mochnant i Ddogfan hefyd. Ceid ffynnon arall a elwid Ffynnon Sant Dogfan yn yr ardal. Roedd y ffynnon honno yr ochr uchaf i Bistyll Rhaeadr. Aeth dwy ferch at y ffynnon gan fod un, gwniadwraig ifanc o bentref Llanrhaeadr, yn dioddef o anhwylder ar y croen. Wedi ymolchi yn y ffynnon hon cafodd lwyr wellhad.

Ffynnon arall gerllaw Pistyll Rhaeadr oedd Ffynnon Baich y Cawr. Roedd y ffynnon hon ar graig o'r un enw. Dywed traddodiad lleol fod cawr a'i wraig a gwas iddynt yn byw ger y ffynnon yn yr hen ddyddiau.

Credir bod y ffynnon hon yn eithriadol o dda am wella defaid ac anhwylderau eraill ar y croen. Gan fod y ffynnon yma a Ffynnon Sant Dogfan yn llesol i'r croen, tybed a oes rhyw rinweddau arbennig yn y creigiau gerllaw?

Ffynnon Cadfan, Llangadfan

Ceir ffynhonnau i saint mewn tri phlwyf cyfagos i'w gilydd, sef plwyfi Llangadfan, Llanerfyl a Llanfair Caereinion. Mae Ffynnon Cadfan gryn bellter o eglwys Llangadfan. Yn ôl y *Cambrian Register* (1796) roedd adeilad drosti ar un adeg. Ceir cadarnhad o hyn mewn erthygl yn un o gyfrolau'r *Montgomeryshire Collections* (1895). Dywedir bod rhai o'r cerrig yn yr adeilad o faint sylweddol. Roedd y ffynnon yn enwog am rinwedd ei dyfroedd ond penderfynwyd codi ffordd o'r eglwys i dafarn y *Cann Office* drwy safle'r ffynnon yng nghanol y bedwaredd ganrif ar bymtheg. Y Parch Griffith Howell oedd y rheithor ar y pryd a mynnodd fod bwa'n cael ei godi dros y ffynnon er mwyn i'r ffordd fynd drosti a llwyddwyd i'w hachub. Heddiw mae ei dyfroedd yn llifo mor loyw ag erioed er nad oes fawr neb yn cyrchu yno i gael gwellhad.

Ffynnon Erfyl, Llanerfyl

Roedd Ffynnon Erfyl rhyw bedwar can llath i ffwrdd o eglwys Llanerfyl. Ers talwm, byddai pobl ifanc yr ardal yn mynd at y ffynnon ar Ddydd Llun y Pasg, y Sulgwyn a Suliau'r Drindod i yfed dŵr a siwgr cyn dawnsio o gwmpas y ffynnon. Roedd bwa o gerrig dros y ffynnon ac fe lifai'r dŵr ohoni drwy bistyll. Yn ôl y *Cambrian Register* (1796) byddai pobl yn dod at y ffynnon i ddilyn defosiwn personol gan ddefnyddio llaswyr i'w cynorthwyo. Ger Llanerfyl ceid Pistyll y Cefn Bedwog hefyd. Byddai'n arferiad i yfed dŵr o'r pistyll wedi ei gymysgu â siwgr ar y Sulgwyn, Suliau'r Drindod ac ar Ŵyl Mabsant.

Ffynnon Fair, Llanfair Caereinion

Nid yw'n syndod mai ffynnon wedi ei chysegru i Fair a geir ym mynwent eglwys Llanfair Caereinion. Mae'r ffynnon i'w gweld ar y llethr rhwng yr

Ffynnon Gadfan, Llangadfan

eglwys ac afon Banw. Rhaid cerdded i fyny'r llethr tuag at yr eglwys, troi i'r chwith o amgylch yr eglwys, yna cerdded i lawr y llethr tuag at yr afon cyn dod o hyd i'r ffynnon. Mae'n mesur deuddeg troedfedd wrth chwe throedfedd gyda mur o gwmpas un pen iddi yn ffurfio siâp bwa ac fe geir cerrig llyfnion ar waelod y ffynnon. Mae tri gris yn mynd i lawr at y dŵr. Roedd y ffynnon yn enwog tan oddeutu 1910 am ei bod yn gwella nifer o anhwylderau gwahanol gan gynnwys cricymalau ac afiechydon ar y croen. Arferai pobl ymolchi yn y ffynnon a byddai'r dŵr yn cael ei gario i'r eglwys ar gyfer bedyddiadau. Roedd cred y gallai dŵr y ffynnon hon amddiffyn pobl rhag cael eu rheibio gan wrachod hefyd.

Ffynnon y Wrach, Llanfair

Mae nifer o ffynhonnau eraill ym mhlwyf Llanfair Caereinion. Un ohonynt yw Ffynnon y Wrach sydd ar ochr ogledd-orllewinol Moel Pentyrch. Ffynnon rinweddol oedd hon ar y dechrau ond fe'i diraddiwyd pan y'i cysylltwyd â dewiniaeth a swyngyfaredd. Serch hynny, byddai pobl yn cyfarfod yno ar Suliau'r Drindod i yfed dŵr a siwgr, gan gadarnhau mai ffynnon sanctaidd oedd hi'n wreiddiol.

Tybed a oedd y ffynnon hon yn cael ei defnyddio mewn dewiniaeth garu i geisio darganfod pwy fyddai gwir gariad rhywun? Byddai'n rhaid i'r sawl a geisiai'r wybodaeth fynd at y ffynnon am hanner nos gan gario llyffant melyn. Wrth adrodd y swyn canlynol, byddai naw o binnau'n cael eu gwthio i gorff y creadur anffodus:

> Os daw fy nghariad yma'n union,
> Caf ei (g)weled wrth y ffynnon.
> Pan yn rhoi y pin diwaetha
> Caf ei (g)weled mi waranta.

Wedi gwneud hyn, byddai'r cariad arfaethedig yn siŵr o ymddangos. Cadwyd y rhigwm yma ar gof a chadw yn yr erthygl 'Ffynhonnau Cymru' gan T. Glasfryn Hughes yn *Cymru* VII (1895).

Ffynnon Wtra Heilyn, Llanfair

Roedd Ffynnon Wtra Heilyn mewn man rhamantus iawn ym mhlwyf Llanfair Caereinion. Tarddai gerllaw ffermdy Garth Heilyn. Ar un adeg roedd cylch o gerrig ar y safle ond dywedir bod y cylch wedi ei chwalu i wneud lle i'r ffermdy. Yn ôl traddodiad, deuai ymwelwyr at y ffynnon i ymolchi ac roedd to drosti bryd hynny. Yna, byddent yn mynd at y cylch cerrig. Roedd llawer o goed derw yn tyfu o gwmpas y ffynnon ar un adeg hefyd ac anodd yw peidio meddwl am ddefodau'r Derwyddon a'r hen grefydd Geltaidd wrth gofnodi'r manylion hyn.

Ffynnon y Campau, Llanfair

Ffynnon ddiddorol arall yn yr ardal yw Ffynnon y Campau ar lethrau

Ffynnon Erfyl, Llanerfyl (o'r cefn)

Ffynnon Fair, Llanfair Caereinion

dwyreiniol Bryn y Disgwylfa. Roedd carreg fawr yn gorchuddio'r ffynnon ar ddechrau'r ganrif. Ychydig islaw'r ffynnon mae man gwastad ar y llethr. Ers talwm, arferai pobl ddringo at y ffynnon ac yfed dŵr a siwgr; yna, ar y man gwastad, byddent yn ymgasglu i gynnal chwaraeon a'r gweithgareddau hynny roddodd enw i'r ffynnon hon.

Ffynhonnau Maddocks, Llanfair Caereinion

Ffynhonnau eraill a welir ym mhlwyf Llanfair Caereinion yw Ffynhonnau Maddocks. Cawsant eu henwi ar ôl gŵr o'r enw Maddocks gan mai ef, o bosib, oedd y cyntaf i gymell pobl i ddod yno i brofi'r dyfroedd am fod ganddynt rinweddau meddyginiaethol. Roedd y ffynhonnau yn enwog yn ystod y ganrif ddiwethaf am eu bod yn gwella anhwylderau. Yn 1823 canodd David Morris (Bardd Einion) englyn i'r ffynhonnau hyn:

O tyred fy mrawd tirion – o ddifrif
I ddyfroedd Caer-einion.
Pwy a ŵyr nad llwyr a llon
Iach welir dy archollion.

Ceisiodd Maddocks ddatblygu'r lle i fod yn spa fel spa Llandrindod. Gwariodd lawer o arian i brynu dau bwmp i godi'r dŵr, ac am beth amser bu'r fenter yn llwyddiant. Ar un adeg, cyrchodd cymaint yno nes i'r ffynnon sychu'n grimp. Erbyn 1883 roedd nifer yr ymwelwyr wedi gostwng am fod y ffyrdd yn wael a'r ardal yn anghysbell. Pe bai amgylchiadau wedi bod yn wahanol, gallai Llanfair Caereinion fod wedi dod mor enwog â Llandrindod a Llanwrtyd. Yn nauddegau'r ugeinfed ganrif gwnaed ymdrech i adfywio'r diwydiant, ond ni fu'n llwyddiannus.

Ffynhonnau Llanfihangel-yng-Ngwynfa

Ceir nifer o ffynhonnau ym mhlwyf Llanfihangel-yng-Ngwynfa hefyd. Byddai'n arferiad i ymweld â Ffynnon Dila yn ystod Suliau'r Drindod. Yn naturiol, gellid disgwyl bod ffynnon wedi ei chysegru i Sant Mihangel yn y plwyf. Roedd lleoliad y ffynnon honno tua chanllath a hanner i'r de-ddwyrain o'r eglwys. Fe ddefnyddiwyd ei dŵr ar gyfer bedyddiadau yn yr eglwys. Enw arall ar y ffynnon oedd Ffynnon Penisa'r Llan.

Gwelid Ffynnon Fach wrth ymyl y ffordd rhwng y rheithordy a fferm Tan y Llan. Roedd y ffynnon hon yn enwog am wella llygaid poenus ond roedd pobl yr ardal yn credu na ddylid yfed ei dŵr. Byddai pwy bynnag a wnâi hynny yn siŵr o farw.

Roedd Ffynnon Geiliog rhyw ugain llath i'r gorllewin o'r gaer sydd ar Allt Dolanog. Byddai llawer yn cyrchu ati yn ystod Suliau'r Drindod ac mae'n bur debyg iddi gael ei henw am fod gornestau ymladd ceiliogod yn digwydd ger y ffynnon ar y dyddiau hynny. Rhyw filltir a hanner i'r dwyrain o bentref Llanfihangel, mewn trefgordd o'r enw Ffynnon

Ffynnon Geiliog, Llanfihangel-yng-Ngwynfa

Ffynnon y Clawdd

Arthur, roedd hen ffynnon y cyfeiriwyd ati mewn dogfennau hynafol sy'n dyddio o 1309. Roedd Ffynnon Arthur yn ddeuddeg troedfedd sgwâr ac yn bedair troedfedd o ddyfnder. Fe'i llanwyd cyn 1895 am fod gwartheg yn syrthio iddi. Erbyn 1910 doedd dim ond man gwlyb ar Cae Dŵr ar fferm Cefn Llwyni i ddangos ble y bu.

Ffynhonnau Meifod

Roedd nifer o ffynhonnau yn ardal Meifod ers talwm hefyd. Un ohonynt oedd Ffynnon Hally ger Trenannau. Yn yr hen ddyddiau, byddai pobl yn cyfarfod wrth y ffynnon hon i addoli ac roedd adeilad drosti ar un adeg. Ceid Ffynnon Sanctaidd yn y plwyf yma hefyd. Roedd dŵr Ffynnon y Groftydd yn nhrefgordd Teirtref yn llawn sylffwr ac yn dda at wella anhwylderau ar y croen.

Ffynnon arall yn y plwyf oedd Ffynnon Gallt y Maen. Byddai pobl ifanc yr ardal yn arfer cyrchu at y ffynnon hon i yfed y dŵr, cyn mynd ymlaen i Fryn y Bowliau ble byddent yn treulio gweddill y dydd yn perfformio mabolgampau a chwaraeon o bob math.

Ffynnon y Clawdd Llesg

Y ffynnon fwyaf diddorol yn ardal Meifod yw ffynnon sydd â thri enw iddi, sef Ffynnon y Clawdd Llesg, Pistyll y Clawdd, neu *Spout Well*. Fe'i gwelir ar y ffin rhwng plwyfi Meifod a Chegidfa yn nhrefgordd Trefedryd ym mhlwyf Maesmawr. Mae'r ffynnon ar lethrau gogleddol Moel y Sant ac mae clawdd terfyn hynafol yn rhedeg at droed y bryn. Anodd yw gwybod enw pa sant a roddwyd ar y lle. Cysegrwyd eglwys Meifod i Dysilio ac eglwys Cegidfa i Aelhaearn, felly fe allai fod wedi ei henwi ar ôl y naill neu'r llall. Ar ddechrau'r ganrif hon roedd to pren dros y ffynnon a'r tir o'i chwmpas wedi ei amgylchynu â muriau cerrig. Roedd y ffynnon ei hun tua chwe throedfedd sgwâr er nad oedd yn unffurf. Byddai llawer o gyrchu ati ar ddechrau'r ganrif ddiwethaf, yn enwedig i yfed dŵr a siwgr yn ystod Suliau'r Drindod. Wedyn, byddai'r criw oedd wedi bod wrth y ffynnon yn mynd i'r Hen Dafarn gerllaw ac yn yfed rhywbeth amgenach na dŵr a siwgr mae'n siŵr. Ceisiodd dau weinidog Anghydffurfiol lleol roi pen ar yr arferiad yma. Tybed ai gwrthwynebu ymweliad â'r ffynnon am mai arferiad Pabyddol ydoedd a wnâi'r ddau, neu a oeddent yn gwrthwynebu'r arferiad o yfed y ddiod gadarn? O ganlyniad i hyn, peidiodd y bobl ifanc â mynd i'r dafarn ond parhaodd yn arferiad i fynd at y ffynnon, yn enwedig ar yr wythfed Sul wedi'r Pasg. Wedi yfed y dŵr byddent yn cael twmpath dawns gerllaw.

Man i lawenhau ynddo oedd y tir o gwmpas y ffynnon hon. Cafodd nifer fawr o bobl wellhad o amrywiol anhwylderau ar ôl ymweld â'r lle, a pheth arall hynod am y ffynnon yw'r penillion sydd wedi eu cerfio ar y muriau o'i chwmpas yn datgan diolchgarwch y rhai a gafodd wellhad. Dyma rai ohonynt:

Yn y lle hwn ni chewch wellhad – oni
Wnewch uniawn ddefnyddiad,
Ac erfyn ar Dduw cariad
Heb rith yn ei fendith fad.

Dŵr y Pistyll Bychan
Rheda i'n sirioli
Dŵr y Pistyll Bychan
Daw pob dydd i'm llonni, 1856.

Ac yn Saesneg:

Lord grant us from this little brook
Thy crystal water clear
To wash our souls and heal our wounds
While we are lingering here.

I wrote this verse for the first time in the year 1873, but I now again visit the place and I find it vanished and I write it again. G.G. 1873. Nov. 1899.

Hefyd wedi ei gerfio uwch y pistyll roedd y canlynol:

Every wound to be held for twenty minutes under the spout three times a day.

O wybod o brofiad pa mor oer yw dŵr ambell ffynnon, byddai llyncu potel o ffisig gryn dipyn haws na dilyn y cyfarwyddiadau hyn! Eto, rhaid bod rhinwedd arbennig i'r dŵr. Cerfiwyd y canlynol hefyd:

I found health here.

Yn 1896 daeth gŵr ifanc gyda thyfiant yn ei drwyn i'r ffynnon o gryn bellter i geisio gwellhad. Yn sicr, gwyddai trigolion ardaloedd Maldwyn a thu hwnt i Glawdd Offa am rinwedd dŵr y ffynnon ar Foel y Sant. Erbyn heddiw, does dim byd i'w weld ar y safle heblaw am faddon y ffynnon a pheth o'r llawr cerrig.

Ffynnon Darogan

Cyn gadael plwyf Meifod rhaid crybwyll Ffynnon Darogan yn nhrefgordd Teirtref. Ers talwm, roedd to cerrig bwaog drosti. Yn anffodus nid oes unrhyw draddodiadau wedi goroesi am y ffynnon ond bod ei henw yn awgrymu mai cael ei defnyddio i ddarogan y dyfodol a wnâi. Mewn ardaloedd eraill, caed ffynhonnau o'r math yma a oedd yn gallu dweud pwy fyddai cymar rhywun wrth roi dilledyn yn y dŵr neu wrth wylio sut y codai'r swigod o'i tharddiad.

Ffynhonnau Hirnant

Roedd nifer o ffynhonnau ym mhlwyf Hirnant hefyd; un ohonynt oedd

Ffynnon Illog ac mae eglwys y plwyf wedi ei chysegru i Illog Sant. Roedd y ffynnon hon wrth droed Bryn Das Eithin, ychydig lathenni i'r gogledd o'r rheithordy. Credid fod y dŵr yn gwella amryw glefydau gan fod llawer o fwynau ynddo, ac fe offrymid pinnau yn y ffynnon hefyd. Erbyn 1910 câi ei galw'n Ffynnon Hise ac roedd y dŵr yn cael ei gyfeirio i gyflenwi anghenion y sawl a oedd yn byw yn y rheithordy. Ffynnon arall ym mhlwyf Hirnant oedd Ffynnon Iwan neu *St John's Well*. Roedd hon ar dir fferm y Garn a'i dŵr yn arbennig o dda at wella salwch plant. Yn ôl un traddodiad, roedd gŵr o'r enw Iwan neu Ifan wedi defnyddio dŵr y ffynnon i olchi clwyfau milwyr ar ôl brwydr Cadnant a dyna sut y cafodd ei henw.

Lleolwyd Ffynnon Isel ar Buches y Foel Ortho. Roedd hon yn ffynnon gref a'r dŵr yn llesol at wella afiechydon plant. Bellach mae'r dŵr sy'n tarddu ohoni yn llifo i Lyn Efyrnwy.

Ffynnon Fyllin, Llanfyllin

Er bod llawer o'r hen ffynhonnau wedi eu colli dros y blynyddoedd, gall gweledigaeth arweinwyr lleol achub ambell un rhag mynd ar ddifancoll yn llwyr. Dyna fu hanes Ffynnon Myllin yn Llanfyllin. Roedd hon yn ffynnon werth ei hadfer a'i hailgysegru. Fe'i caewyd ar ddechrau'r ugeinfed ganrif er bod pobl leol yn dal i'w defnyddio. Mae ei lleoliad tua thri chan llath i'r gorllewin o'r eglwys ac fe'i gelwir yn Ffynnon Coed y Llan. Dywedir bod Myllin Sant wedi bedyddio'r plwyfolion yn y ffynnon hon. Byddai'r bobl yn arfer ymweld â'r ffynnon i yfed dŵr a siwgr yn ystod Suliau'r Drindod. Yna byddent yn mynd i'r dafarn yn Nhy'n-llan i gael cacennau a diod. Ar un adeg byddai pobl yn dod at y ffynnon gan gario carpiau yn eu dwylo. Byddent yn gwlychu cerpyn yn y dŵr cyn ei rwbio ar y rhan o'r corff oedd angen gwellhad. Wedyn byddent yn crogi'r cerpyn ar lwyn ger y ffynnon. Credid y byddai'r boen yn lleihau a diflannu wrth i'r cerpyn bydru.

Defnyddiwyd y ffynnon hon i weithio swyngyfaredd hefyd ac fe ddefnyddid carpiau i wneud hynny'n ogystal. Wrth godi'r cerpyn o'r dŵr, rhaid oedd gwneud dymuniad. Yna, wrth i'r cerpyn bydru ar y llwyn deuai'r dymuniad yn wir. Bellach, ers 1987, mae'r ffynnon wedi ei hadfer a'i hailgysegru ond go brin fod neb am ei defnyddio i gael gwellhad nac i wireddu dymuniadau.

Ffynnon Cwm Ewyn, Pennant Melangell

Ym mhlwyf Pennant Melangell, tua hanner milltir i'r gogledd o eglwys y plwyf, roedd Ffynnon Iewyn neu Ffynnon Cwm Ewyn. Tarddai o dan Graig Cwm Ewyn ac roedd yn enwog gynt am ei gallu i wella'r cricymalau, anhwylderau ar y croen a'r manwyn. Er mwyn hwyluso pethau i'r sawl oedd yn dod yno i geisio gwellhad, adeiladwyd baddon yno tua diwedd y bedwaredd ganrif ar bymtheg, a grisiau yn mynd i lawr at y dŵr.

Ffynnon Armon, Llanfechain

Ceir dwy ffynnon i Garmon Sant ym Maldwyn. Mae un ym mhlwyf Llanfechain (neu i roi i'r plwyf ei enw llawn, Llanarmon-ym-Mechain). Roedd y ffynnon hon tua thri chan llath i'r de-ddwyrain o eglwys y plwyf a gysegrwyd i Garmon Sant, gyda muriau cerrig o'i chwmpas a charreg fawr â phridd drosti. Ers talwm deuai llawer o bobl yno i ymolchi yn y ffynnon ac i geisio gwellhad. Hefyd, defnyddid y dŵr i fedyddio yn yr eglwys. Erbyn heddiw mae'r ffynnon wedi ei hesgeuluso, ond gellir mynd ati wrth ddilyn llwybr cyhoeddus heibio i'r capel sydd ar y chwith ar y ffordd fawr wrth adael y pentref. Yn anffodus, mae'r llwybr wedi ei gau a mynediad at y ffynnon yn anodd gan fod y tir o'i chwmpas yn lleidiog.

Mae'r ail Ffynnon Armon ym mhlwyf Castell Caereinion ond hyd y gwyddom, nid oes unrhyw draddodiadau amdani wedi goroesi.

Ffynnon Ffinnant, Llansanffraid

Ffynnon arall y byddai pobl yn cyrchu ati i ymolchi ac ymdrochi yn ei dyfroedd oedd Ffynnon Ffinnant ym mhlwyf Llansanffraid Pool. Lleolid y ffynnon ar fferm y Ffinnant. Roedd nifer o risiau yn arwain i lawr at y dŵr a cherrig gwastad ar lawr y ffynnon. Gerllaw, roedd adeilad bychan o bren ble gallai'r sawl a ymdrochai yn y ffynnon newid eu dillad.

Ffynnon Armon, Llanfechain

Byddai'r dŵr yn gwella anafiadau i'r cyhyrau ac afiechydon oedd yn amharu arnynt. Roedd hefyd yn ffynnon dda i ddod iddi er mwyn gwella cleisiau. Yn anffodus, mae'r ffynnon hon wedi ei chau ers blynyddoedd bellach.

Rhos Wrach, Llangurig

Ym mhlwyf Llangurig ers talwm caed ffynnon ar Rhos Wrach, sef Ffynnon Rhos Wrach. Deuai pobl o bell ac agos at y ffynnon hon i gael gwellhad o anhwylderau ar y croen. 'Gwrach' oedd yr enw a roddai rhai pobl ar anhwylder ar y croen a ymdebygai i ecsima. Yn aml, byddai llawer yn cario dŵr o'r ffynnon er mwyn ei ddefnyddio'n rheolaidd gartref. Mae'n debyg fod gwneud hynny'n beth cyffredin iawn yn y gorffennol.

Wrth orffen sôn am ffynhonnau Maldwyn, rhaid nodi bod yfed dŵr a siwgr, ymweld â ffynhonnau ar Sul y Drindod a chael mabolgampau a dawnsio wedyn yn arferiad poblogaidd iawn yn y sir. Yn sicr, byddai'n rhoi mwynhad i lawer pan oedd bywyd yn ddigon caled. Hwyrach mai mwyniant Maldwyn oedd yn rhannol gyfrifol am y mwynder hefyd? Rhaid gadael y mwynder serch hynny, a mentro dros y ffin i sir Faesyfed.

LLANIDLOES
Y DRENEWYDD
RHAEADR GWY
Ffynnon Fair
Ffynnon Menyn
Ffynnon Ddewi
Ffynnon y Saint
Pistyll Cynllo
LLANDRINDOD
Ffynnon Llandegla
Ffynnon Llananno
TREFYCLO
Ffynnon Fair
Ffynnon
Santes
Ann
LLANANDRAS
Ffynnon Gynydd
MAESYFED

Ffynhonnau Maesyfed

Ardal gymharol fechan ei thirwedd yw Maesyfed; ardal nad yw'n adnabyddus iawn i ni fel Cymry am fod yr iaith bron wedi darfod o'i thir. Serch hynny, mae'r rhan hwn o'r gororau yn eiddo i ni fel cenedl. Wedi'r cyfan, yma y gorwedd corff Llywelyn ein Llyw Olaf ac mae ffynhonnau sanctaidd i'w cael yma hefyd.

Ffynhonnau'r Saint

Yn Abaty Cwm-hir, dri chan llath o fferm Ffynnon Garreg, mae Ffynnon y Saint. Nid oes unrhyw nodweddion arbennig yn perthyn iddi, na thraddodiadau amdani wedi goroesi ac yn anffodus mae hynny'n wir am lawer o ffynhonnau Maesyfed, megis Ffynnon Santes Ann ar lan afon Llugwg tua hanner milltir o Lanandras. Ger eglwys Llanbister, eglwys a gysegrwyd i Sant Cynllo, gwelir Pistyll Cynllo. Ym mhlwyf Llanbister hefyd ceir tair ffynnon o ddŵr sylffwr du ac fe arferai pobl oedd yn dioddef o anhwylderau ar y croen ymweld â'r ffynhonnau hyn i gael iachâd.

Ceid Ffynnon Llananno ger Trefyclo, Ffynnon Menyn yn Llanbadarn Fynydd a Ffynnon Llandegla (tarddiad o ddŵr yn llawn sylffwr) ger afon Cymaron. Roedd Ffynnon Bedr ger Cwm Gwalley, Ffynnon Ddu i'r gogledd o gastell Rhaeadr a Chapel Ffynnon ym mhlwyf Cascob. Yn Diserth ger Llandrindod roedd Ffynnon Gewydd. Nid oes golwg ohoni heddiw ond mae'r eglwys, gyda'i llawr wedi ei orchuddio â gwellt, wedi ei chysegru i Cewydd. Cewydd yw'r sant Cymreig sy'n cyfateb i Sant Swithin y Saeson.

Ffynnon Ddewi, Llanbadarn Fynydd

Mae rhai ffynhonnau yn yr ardal sydd â thraddodiadau ynghlwm wrthynt. Roedd cyrchu mawr at Ffynnon Ddewi yn Llanbadarn Fynydd er enghraifft, ac roedd y werin yn credu'n gryf bod rhinweddau arbennig yn y dŵr. Ar ddechrau'r ganrif roedd y dŵr yn llifo i gafn carreg tair troedfedd o led a phedair troedfedd o ddyfnder. Credir mai enw cymharol newydd ar y ffynnon hon yw *David's Well.*

Credid bod dyfroedd Ffynnon y Mynach ger Cleirwy yn arbennig o dda at wella llygaid poenus.

Roedd Ffynnon y Milwr yn *Great Wood* ger Llanbister, ychydig i'r gogledd o fferm Cae Faelog Isaf. Dywedir bod milwyr wedi golchi eu clwyfau yn y ffynnon hon ac mae sôn fod brwydr wedi ei hymladd ar gae cyfagos o'r enw *Battle Field* neu Banc y Sidi yn y Gymraeg.

Ffynnon Gynydd, Llangynidr

Hen ffynnon sy'n dal i lifo'n gryf yw Ffynnon Gynydd neu Ffynnon Gynidr. Mae hon i'w gweld ar Gomin Ffynnon Gynydd – tir uchel agored rhyw filltir a hanner i'r gogledd-orllewin o'r Clas-ar-Wy. Saif y ffynnon mewn man ble mae nifer o ffyrdd mynyddig yn cyfarfod â'i gilydd ac mae'n siŵr ei fod yn fangre cyfarfod pwysig yn yr Oesoedd Canol. Ar ddechrau'r ugeinfed ganrif codwyd adeilad agored o bren uwchben y ffynnon a chaewyd rhan o siambr y ffynnon ei hun. Mae'r adeilad yno o hyd er ei fod wedi ei adnewyddu ers hynny. Mae'r ffynnon ei hun yn un gref iawn a llawer o ddŵr ynddi. Cyfeirir ati'n lleol fel y *wishing well*; yn sicr, mae ei lleoliad yn hudolus ar brynhawn o haf, ond ffynnon sanctaidd i Sant Cynidr oedd hi'n wreiddiol a chredir bod y sant wedi ei gladdu yn y Clas-ar-Wy.

Ger Trefyclo, ceir ffynnon gyda mwy nag un enw iddi: *Jacket's Well* medd y Sais, Ffynnon Iechyd medd y Cymro. Fe'i gelwid yn *Saint Edward's Well* ac yn Ffynnon Sant Iorwerth hefyd. Roedd ganddi fwy nag un arbenigedd hefyd: gallai wella cŵn oedd yn dioddef o'r clafr a gwella pobl oedd yn dioddef o gricymalau ac achosion o ewynnau ac esgyrn wedi eu hysigo.

Ffynnon Fair, Pyllalai

Ym mynwent Eglwys y Santes Fair ym Mhyllalai (Pilleth), mae ffynnon sanctaidd ar ochr ogleddol tŵr yr eglwys. Roedd y ffynnon hon yn enwog am ei gallu i wella afiechydon y llygaid. Siâp petryal sydd iddi, gyda grisiau yn arwain i lawr at y dŵr ar yr ochr ddeheuol. Ar un adeg roedd y ffynnon mewn cyflwr truenus ond fe'i hadnewyddwyd ar ddechrau'r ugeinfed ganrif.

Ymladdwyd brwydr fawr ger Pyllalai yn 1402 rhwng Owain Glyndŵr ac un o arglwyddi'r Mers, Edmund Mortimer. Glyndŵr fu'n fuddugol a dywedir bod milwyr o'r frwydr wedi cael eu disychedu yn y ffynnon hon.

Bellach nid oes modd defnyddio'r grisiau at y dŵr gan fod darnau o bren wedi eu gosod dros y ffynnon. Serch hynny, caiff y dŵr ei yfed. Gosodwyd cwpan wedi ei grogi â darn o linyn uwchben y ffynnon. Ceisiodd yr awdur ddefnyddio'r dŵr i wella llygaid oedd yn dyfrio ym mis Awst 1993, ond heb fawr o lwyddiant!

Ffynnon Fair, Rhaeadr

Hwyrach mai'r ffynnon sanctaidd enwocaf ym Maesyfed yw Ffynnon Fair ym mhlwyf Rhaeadr. Fe'i gwelir ar y ffordd sy'n arwain i gyfeiriad Aberystwyth. Yn wir, wrth adeiladu ffordd newydd yn y bedwaredd ganrif ar bymtheg, rhaid oedd symud y cafn carreg y llifai'r dŵr iddo. Roedd dŵr y ffynnon hon yn dda at wella llygaid dolurus. Cyn cael iachâd rhaid oedd i'r claf adrodd rhigwm diddorol iawn nad yw ei ystyr na'i darddiad yn glir i ni heddiw:

> Frimpanfroo, Frimpanfroo,
> Sali bwli la
> Iri a.

Ffynnon Gynydd, Llangynidr

Ffynnon Fair, Pyllalai

Mae'n debyg fod adrodd y rhigwm yn rhoi mwy o rym i'r dŵr ac mae hyn yn atgoffa rhywun o eiriau swyngyfareddol y dynion hysbys gynt.

Ar ddechrau'r ugeinfed ganrif byddai'n arferiad gan bobl Rhaeadr a'r cylch i fynd â babanod at Ffynnon Fair a golchi eu llygaid yn y dŵr. Roedd plant yr ardal yn cael eu trochi mewn ffrwd fechan o'r enw *Bwci's Wave* hefyd, gan fod y bobl leol yn credu bod gan y dŵr rinweddau arbennig. Roedd rhigwm yn cael ei hadrodd yn yr ardal oedd yn cyfeirio at yr arferiad yma:

The fairest children in all of Wales
Are those that dip in Bwci's Wave.

Diddorol yw nodi bod y Celtiaid yn arfer ymolchi plant newydd-anedig mewn dŵr llifeiriol. Tybed ai atgof o hynny yw'r arferiad yma yn Rhaeadr?

Byddai cariadon yn mynd at y ffynnon i yfed dŵr a siwgr ar nosweithiau Sul yn ystod y gwanwyn a'r haf, a byddai hynny'n siŵr o ddod â lwc dda iddynt. Gwelwn felly fod Ffynnon Fair, Rhaeadr, yn un bwysig iawn i'r gymuned leol yn y gorffennol.

Ffynhonnau Llandrindod

Rydym yn tueddu i feddwl am Landrindod fel tref y ffynhonnau iachusol, ond mae ganddi ei hen ffynnon rinweddol yn ogystal. Mae lleoliad y ffynnon hon ger hen eglwys Llandrindod – eglwys sy'n dyddio'n ôl i'r drydedd ganrif ar ddeg. Credir mai'r hen enw ar y lle oedd Llanfaelon. Mae'r hen eglwys ar fryn uwchben llyn rhyw hanner milltir i'r de-ddwyrain o'r dref.

Yn ystod saithdegau'r bedwaredd ganrif ar bymtheg, adeiladwyd eglwys newydd i lawr yn y dref a thynnwyd y to oddi ar yr hen eglwys gan Archddiacon plwyf Cefnllys er mwyn gorfodi pobl i addoli yn yr eglwys newydd. Cyn diwedd y ganrif fodd bynnag, roedd yr eglwys wedi ei hatgyweirio ac wrth wneud hynny daethpwyd ar draws carreg â *sheela-na-gig*, symbol ffrwythlondeb, wedi ei gerfio arni. Yr ochr arall i'r garreg roedd croes. Roedd y garreg wedi ei chladdu yn y llawr o dan yr eglwys. Mae'n amlwg bod y fangre yn un ble bu'r hen grefydd baganaidd a'r grefydd Gristnogol yn cyd-fyw mewn cytgord â'i gilydd am ganrifoedd. Cawn adlais o'r hen grefydd a'r ffydd Gristnogol yn y ddefod a arferai gael ei chynnal wrth y ffynnon. Roedd y dŵr yn arbennig o dda at wella llygaid poenus. Er mwyn sicrhau gwellhad, roedd yn rhaid i'r claf gerdded nifer penodedig o gamau at y ffynnon ac adrodd rhigwm arbennig mewn llais isel. Yna, gosod blaenau bysedd y llaw dde yn y dŵr a rhoi'r dŵr ar un llygad, cyn gwneud yr un peth â'r llaw chwith a rhoi'r dŵr ar y llygad arall. Ni ddylid ar unrhyw gyfrif rwbio'r llygaid ond gadael i'r dŵr sychu'n naturiol. Os oedd y llygaid yn dyfrio, yna gorau oll gan fod hynny'n arwydd bod dŵr y ffynnon yn gwneud ei waith. Roedd hon yn hen ffynnon a chredid ei bod yn cael ei

Un o ffynhonnau haearn Llandrindod

defnyddio yng nghyfnod y Rhufeiniaid.

Erbyn heddiw wrth gwrs, nid am y ffynnon fach yma y mae Llandrindod yn enwog ond am y ffynhonnau iachusol a fu mewn cymaint o fri yn ystod y bedwaredd ganrif ar bymtheg. Wrth gwrs, roedd y ffynhonnau wedi bodoli ers cyn cof ond rhaid aros tan 1670 cyn y ceir cyfeiriad at y ffynhonnau yn cael eu defnyddio i geisio gwellhad at wahanol anhwylderau. Priodolir ailddarganfod rhinweddau'r ffynhonnau i wraig leol o'r enw Mrs Jenkins. Yn 1736 dechreuodd ddefnyddio dŵr y ffynnon halwynog (dŵr hallt) oedd ger y fan ble'r adeiladwyd y *Pump House Hotel* yn ddiweddarach i wella nifer o wahanol afiechydon. Rhaid bod cyfaint y dŵr a yfwyd yn amrywio o berson i berson. Yn wir, gallai goryfed y dŵr gael effaith andwyol ar iechyd ambell un.

Gŵr o'r enw Mr Pilot a ddarganfu'r ffynnon halwynog yn *Rock Park*. Breuddwydiodd am ffynnon mewn lleoliad arbennig a chafodd hyd iddi pan aeth yno i chwilio.

Ni chafodd rhinweddau'r ffynhonnau yn Llandrindod lawer o gyhoeddusrwydd cyffredinol tan 1748 pan ysgrifennodd un ymwelydd benillion yn clodfori'r ffynhonnau a'u cyhoeddi yn y *Gentlemen's Magazine* y flwyddyn honno. Ond roedd yr ardal yn un anghysbell heb fawr o ffyrdd cyfleus yn arwain iddi. Rhaid oedd aros nes bod gwesty moethus yn cael ei adeiladu gan ŵr o'r enw Mr Grosvenor yn 1749 cyn i unrhyw newidiadau sylfaenol ddigwydd yn yr ardal. Dewisodd adeiladu'r gwesty ar safle hen ffermdy oedd gerllaw yr hen eglwys ar y bryn a edrychai i lawr ar y llyn. Galwodd y lle yn *Grand Hotel*. Yn anffodus, cafodd y lle enw drwg oherwydd y partïon gwyllt a gynhaliwyd yno, er bod brawd-yng-nghyfraith y perchennog yn rheolwr ar y lle ac yn un o wardeniaid yr eglwys hefyd. Pan ddaeth y les i ben yn 1787 dymchwelwyd yr adeilad.

Yn 1756 cyhoeddwyd llyfr am rinweddau iachusol ffynhonnau Llandrindod gan ŵr o'r enw Dr Wessel Linden, a gwnaeth hyn lawer i ddod â'r lle i sylw'r cyhoedd. Oddeutu 1830 fodd bynnag, cyhoeddwyd *Cook's Topography of Wales* ac ynddo mae'r awdur yn rhybuddio pobl i beidio ag yfed gormod o ddŵr sylffwr gan ei fod yn carthu'r corff ac na ddylid ei gymryd yn ystod y prynhawn ar unrhyw gyfrif. Roedd dŵr halwynog yn cael effaith llai ysgeler ar y corff fodd bynnag, ond i gael y rhinwedd gorau posib o'r dŵr, dylid ei yfed rhwng misoedd Tachwedd a Mawrth a da o beth fyddai gwaedu'r claf cyn iddo ei yfed. Mwynau haearn oedd yn y dŵr *chalybeate* a dylid yfed hwnnw rhwng chwech a saith y bore, cyn i'r haul godi'n rhy uchel yn yr awyr. Yn sicr, nid oedd y dŵr yma yn cadw'n dda a byddai'n rhaid ei yfed yn syth o'r ffynnon.

Wedi diwedd y rhyfel yn erbyn Ffrainc yn 1815, cynyddodd y nifer o ymwelwyr oedd yn dod i Landrindod a phan gyrhaeddodd y rheilffordd yn 1865, gwawriodd oes aur y dref. Roedd cymaint ag wyth deg mil o ymwelwyr yn tyrru yno bob blwyddyn erbyn wythdegau'r bedwaredd ganrif ar bymtheg, a'r tlawd a'r cyfoethog fel ei gilydd yn cyrchu i'r ffynhonnau bywiol. Roedd gan westy *Pump House* ystafelloedd moethus i'r cyfoethog ac ystafelloedd rhatach i'r bobl gyffredin.

Bu llawer o gyrchu at ffynhonnau Llandrindod hyd 1939, ond wedi'r Ail Ryfel Byd gwawdiwyd gwerth dyfroedd y ffynhonnau. Erbyn y chwedegau roedd y ffynhonnau wedi eu cau. Yna, yn 1983, daethant i fri unwaith eto ac fe ail-grewyd awyrgylch Edwardaidd yr ystafell bwmpio ym mhafiliwn Parc y Graig am £90,000. *Rock Park Spa* oedd yr enw Edwardaidd ar y ffynnon hon. Galwodd y Rhufeiniaid hi'n *Balnea Siluria* – Ffynnon y Silwriaid. Enw'r Cymry arni oedd Ffynnon Cwm y Gog.

Beth yw gwerth y ffynhonnau iachusol hyn erbyn heddiw tybed? Dywedir bod dŵr sylffwr yn gwella ecsima ac anhwylderau eraill ar y croen, afiechydon y frest, anhwylderau'r cylla a chamdreuliad. Roedd hefyd yn gwella anhwylderau ar y bledren a'r arennau. Wedi yfed y dŵr sylffwr a'r dŵr halwynog gellid cael rhyddhad o boenau cricymalau a'r gowt. Roedd ffynhonnau magnesiwm yn Llandrindod hefyd ac roedd y rhain yn llesol i bobl oedd yn dioddef o afiechydon yr ysgyfaint. Dylid yfed rhwng dau a chwe gwydraid o'r dŵr yma cyn brecwast yn ôl y *Llandrindod Guide Book* a gyhoeddwyd yn 1897, ac yfed o leiaf un arall yn ystod y prynhawn ac ymarfer y corff. Rhybuddir pobl i geisio cyngor arbenigwr cyn mentro yfed y dŵr gan fod yfed gormod ohono yn gallu cael effaith andwyol ar y corff. Roedd dŵr â mwynau haearn ynddo *(chalybeate)* yn llesol i bobl oedd yn dioddef o anhwylderau'r gwaed megis anemia, yn ogystal â bod yn donig i rai gwan. Roedd un ffynnon â mwynau haearn ynddi gerllaw pompren ac roedd dyfroedd hon yn rhad ac am ddim: newydd da a fyddai'n siŵr o godi calon cleifion tlotach a wyddai bod un gwydraid o ddŵr yn ddeg ceiniog neu'n swllt cyfan – swm sylweddol ers talwm. Pwysleisia awdur y *Llandrindod Guide Book* nad oedd modd i bob afiechyd gael ei wella, er mwyn sicrhau na fyddai'r llu ymwelwyr yn bwrw bai ar y ffynhonnau pe na byddent yn cael llwyr wellhad o'u hanhwylderau. Er mwyn i'r dyfroedd bywiol gael cyfle i wneud eu gwaith, byddai'n rhaid dilyn nifer o reolau: bwyta'n ddoeth, ymarfer yn yr awyr agored, codi'n gynnar, cael digon o orffwys a pheidio â bwyta rhwng prydau – cyngor sy'n hynod gyfoes ac amserol. O gofio hyn, hwyrach fod gan ffynhonnau iachusol Llandrindod a ffynhonnau iachusol eraill y canolbarth rywbeth o werth i'w gynnig i ni heddiw fel i'n cyndadau gynt.

MEIRIONNYDD

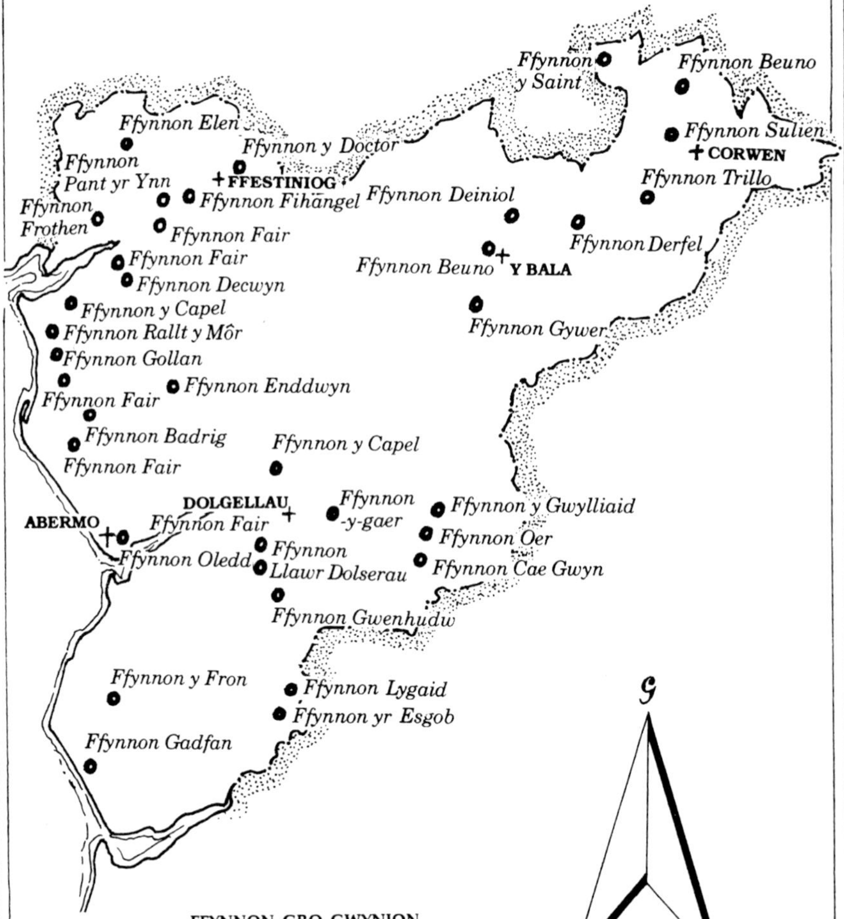

Ffynnon y Saint
Ffynnon Beuno
Ffynnon Sulien
CORWEN
Ffynnon Trillo
Ffynnon Elen
Ffynnon y Doctor
Ffynnon Pant yr Ynn
FFESTINIOG
Ffynnon Fihangel
Ffynnon Deiniol
Ffynnon Frothen
Ffynnon Fair
Ffynnon Derfel
Ffynnon Fair
Ffynnon Beuno
Y BALA
Ffynnon Decwyn
Ffynnon y Capel
Ffynnon Gywer
Ffynnon Rallt y Môr
Ffynnon Gollan
Ffynnon Fair
Ffynnon Enddwyn
Ffynnon Badrig
Ffynnon y Capel
Ffynnon Fair
DOLGELLAU
Ffynnon -y-gaer
Ffynnon y Gwylliaid
ABERMO
Ffynnon Fair
Ffynnon Oer
Ffynnon Oledd
Ffynnon Llawr Dolserau
Ffynnon Cae Gwyn
Ffynnon Gwenhudw
Ffynnon y Fron
Ffynnon Lygaid
Ffynnon yr Esgob
Ffynnon Gadfan
G

FFYNNON GRO GWYNION

Ffynnon Gwlad Feirion glodforaf _____ heddiw;
Mae'n haeddu'r glod bennaf :
Ei chroyw ddwfr gloyw a wna glaf
Ddynyn yn iach ddianaf.

Dafydd Ionawr (1796).

Ffynhonnau Meirion

Mae mwy nag un ardal ym Meirionnydd sy'n enwog am ei ffynhonnau iachusol. Ceir nifer o ffynhonnau diddorol o gwmpas Dolgellau er enghraifft, a nifer fawr yn nyffryn Ardudwy hefyd. Mae mwy nag un ffynnon nodedig yn ardal y Bala ac yn ardal Tywyn yn ogystal. Yn wir, mae digon o ddeunydd ar gael am ffynhonnau Meirionnydd i wneud llyfryn diddorol iawn. Mae'n bwysig nodi bod llawer o ddiddordeb lleol yn yr hen ffynhonnau, ac erthyglau yn y papurau bro sy'n adlewyrchu hynny.

Ffynnon Gadfan, Tywyn

Wrth groesi o Geredigion i dde Meirionnydd cyrhaeddwn ardal Tywyn. Yma roedd ffynnon enwog i Sant Cadfan. Dywed traddodiad fod y sant yn arfer ymolchi yn y ffynnon hon. Dywedir hefyd bod Gerallt Gymro wedi profi bod y dŵr yn adnewyddu'r ysbryd tra oedd ar ei daith o gwmpas Cymru yn 1188. Codwyd adeilad dros y ffynnon cyn 1850, fe'i rhannwyd yn ddau faddon a chodwyd pedair ystafell wisgo o'i chwmpas. Dywedir bod waliau y rhain wedi eu gorchuddio â theils wedi'u llathru. Bob blwyddyn deuai nifer fawr o ymwelwyr i Dywyn i ymdrochi yn y ffynnon gan obeithio cael gwellhad o afiechydon megis cricymalau, poen cefn, esgyrn meddal a chlefydau'r system nerfol a'r stumog. Roedd yma bob cyfleustra i gael cawodydd poeth ac oer hefyd. Dywedwyd bod nifer o'r bobl a ddaeth at y ffynnon ar faglau wedi cerdded oddi yno heb unrhyw gymorth.

Cymharol fyr fu parhad y llwyddiant fodd bynnag, ac yn 1894 llanwodd y perchennog y baddonau â cherrig am nad oedd y lle'n talu. Defnyddiwyd yr adeilad fel stablau am gyfnod, yna fel garej. Heddiw mae safle'r ffynnon yn wybyddus ond diflannodd y dŵr rhinweddol a siom ddaw i ran y sawl sy'n chwilio amdani.

Ffynnon y Fron, Llanegryn

Ffynnon arall a arferai wella cricymalau oedd Ffynnon y Fron ym mhlwyf Llanegryn nid nepell o Dywyn. Mae hon yn ffynnon fawr hefyd, pedair troedfedd ar ddeg wrth naw troedfedd a hanner gyda grisiau yn arwain at y dŵr. Fe'i gwelir yng Nghoed y Fron ar ochr ddeheuol Allt Lwyd. Ni chysylltir y ffynnon ag enw'r sant lleol, Egryn, na'r Forwyn Fair er i'r eglwys gael ei chysegru iddi. Yn yr ail ganrif ar bymtheg newidiwyd llawer ar ffurf naturiol y ffynnon gan deuluoedd bonheddig a thirfeddianwyr lleol er mwyn ei gwneud yn faddon preifat. Mae mewn safle delfrydol ar gyfer hynny o beth gan ei bod yn uchel uwchben y dyffryn ac yng nghanol coedwig. Mae'n bur debyg fod rhyw fath o adeilad drosti (o bren hwyrach) i'w chysgodi ym mhob tywydd.

Ffynhonnau Mair

Er na chysegrwyd y ffynnon yn Llanegryn i'r Forwyn Fair, mae nifer o ffynhonnau eraill ym Meirionnydd sydd wedi eu cysegru iddi. Mewn cae o'r enw Gweirglodd y Saint ger eglwys Betws Gwerful Goch, ceir ffynnon a elwir yn Ffynnon y Saint ond sydd hefyd yn cael ei galw'n Ffynnon Fair gan rai gwybodusion. Ceir ffynnon a gysegrwyd i Fair gerllaw eglwys y plwyf, Llandecwyn hefyd ac un arall ger Llwyn Artro ym mhlwyf Llanenddwyn a oedd yn nodedig am ei gallu i wella cricymalau. Roedd baddon i'r cleifion ymdrochi ynddo hefyd. Sychodd y ffynnon hon ar ddechrau'r ugeinfed ganrif pan adeiladwyd system ddŵr i bentref Llanbedr.

Ffynnon Fair, Llanfair

Ym mhlwyf Llandanwg, ond yn ymyl muriau castell Harlech, roedd Ffynnon Fair Harlech. Nid oes dŵr ynddi erbyn hyn. Cysegrwyd yr eglwys i Fair a Tanwg.

Yn naturiol, gellid disgwyl ffynnon i Fair yn Llanfair. Fe'i gwelir ar ben bryn i'r dwyrain o eglwys y plwyf islaw fferm Uwchllan. Dywedir bod y ffynnon hon yn mesur saith troedfedd ar hugain wrth un droedfedd ar hugain. Ceir hanes chwedlonol sy'n dweud bod Mair wedi dod i'r lan ger Llanfair ac iddi benlinio i yfed o nant fechan oedd ar fin y llwybr. Pan gododd roedd olion ei phengliniau yn y graig ac fe darddodd ffynnon o ddŵr pur a bendithiol yn y fan a'r lle. Byddai'n arferiad yn yr ardal hon i Gatholigion fendithio'r ffynhonnau ac fe elwid rhaeadrau bychain yn yr ardal yn Lestri Mair. Pan fyddai'r haul yn disgleirio arnynt, byddai mamau'r ardal yn dweud wrth eu plant bod 'llestri Mair yn llawnion'.

Ffynnon Fair, Maentwrog

Ceir ffynnon arall i Fair tua phedwar ugain llath i'r de-ddwyrain o eglwys Maentwrog. Fe'i gwelir ar y tir uchel uwchben y pentref ger rhes o dai a elwir yn Bron Fair. Yn 1914 gwnaed archwiliad ohoni gan weithwyr y Comisiwn Hynafiaethau. Mae'r ffynnon yno o hyd ac yn cyflenwi dŵr i'r tai cyfagos.

Ers talwm, hanner ffordd rhwng y Blaenau a Llan Ffestiniog, roedd ffynnon a elwid yn Ffynnon Fair. Byddai llawer yn cyrchu ati i gael iachâd o ffitiau llewygu ac anhwylderau eraill. Erbyn heddiw mae safle'r ffynnon hon yn anhysbys.

Ffynnon Fair, Dolgellau

Mae'r enwocaf o'r ffynhonnau a gysegrwyd i Fair ym Meirionnydd ger Dolgellau. Credid ei bod yn llesol at wella cricymalau. Cafwyd hyd i ddarnau arian o gyfnod y Rhufeiniaid yn y ffynnon hon. Codwyd adeilad o'i chwmpas oddeutu 1837 ac 1850, ond erbyn 1890 roedd wedi ei hesgeuluso. Ar un cyfnod câi tref Dolgellau ddŵr o Ffynnon Fair.

Ffynnon Beuno, Gwyddelwern

Fe geir ffynnon i Fair ym mhentref Gwyddelwern ac fe'i gelwir yn Ffynnon Gwern Beuno, Ffynnon Wen a Ffynnon Isa hefyd. Ffynnon enwocaf Gwyddelwern yw Ffynnon Beuno neu Ffynnon Uchaf. Cysegrwyd yr eglwys yno i Sant Beuno a dywed Edward Lhuyd fod ôl carn ceffyl Beuno i'w weld ar garreg o'r enw Maen Beuno. Mae Ffynnon Beuno o dan dro yn y ffordd, tua phum can llath i'r de o'r eglwys, ac mae llawer o ddŵr yn llifo ohoni. Erbyn hyn mae barau haearn drosti rhag i rywun syrthio i'r dŵr. Nid oes traddodiad wedi goroesi bod rhinweddau arbennig i ddŵr ffynhonnau Gwyddelwern.

Ffynnon Llawr Dolserau

Ym mhlwyf Llanfachreth yn ardal Dolgellau, ceir ffynnon a fu'n enwog am ei bod yn cael ei defnyddio i weithio swyngyfaredd, sef Ffynnon Llawr Dolserau neu Ffynnon Llawr Dolyseler fel y'i gelwir gan Francis Jones. Dywedir bod boneddigion yn arfer ymdrochi yn ei dyfroedd. Yn sicr mae hi'n ffynnon o faint sylweddol, yn naw troedfedd wrth saith gyda chwe gris yn mynd i lawr at y dŵr. Gellir ei gwagio drwy godi darn o bren o'i gwaelod a gadael i'r dŵr lifo allan drwy dwll crwn.

Ffynnon Llawr Dolserau, Dolgellau

Ffynnon y Capel, Llanfachreth

Ym mhentref Llanfachreth ei hun mae Ffynnon y Capel. Gelwid hi felly am fod mynaich Abaty Cymer wedi codi capel ar y safle. Yn ôl yr hanes, daeth Sant Gwynog i ymweld â Sant Machreth ac ar yr achlysur hwnnw parodd Sant Machreth i'r ffynnon darddu o'r ddaear. Mae'n mesur bron i ugain troedfedd sgwâr gyda phum gris yn mynd i lawr at y dŵr. Roedd yn enwog am wella llygaid poenus a bu cryn gyrchu ati tan yn gymharol ddiweddar. Cariwyd dŵr ohoni i fedyddio plant yn yr eglwys.

Ffynnon y Gaer, Dolgellau

Ffynnon rinweddol arall yn ardal Dolgellau â'i dŵr yn iachusol i lygaid oedd Ffynnon y Gaer rhwng Llwyn Cleini a Ffynnon Cnidw. Roedd ei safle ger olion Rhufeinig a dŵr anghyffredin o oer ynddi. Roedd yn enwog am ei bod yn ffynnon rheibio hefyd. Byddai pobl yn gollwng pinnau i'r ffynnon wrth felltithio gelynion.

Ffynnon Gwenhudw, Dolgellau

Mae Ffynnon Cnidw, Ffynnon Gwenhudw neu Ffynnon Gwenhidiw ger Tŷ Blaenau rhwng Dolgellau a'r Garnedd Wen. Roedd yn enwog am wella cricymalau ac roedd hen ŵr yn byw yn ei hymyl a warchodai'r ffynnon. Gwenhudw oedd hen dduwies y dyfroedd yn y cyfnod cyn i Gristnogaeth ddod i Gymru.

Ffynnon Gywer, Llangywer

Dywed hen chwedl fod ffynnon o dan Lyn Tegid fel ag y mae heddiw. Ers talwm, roedd tref yno gyda ffynnon i Sant Gywer ynddi. Rhaid oedd gosod caead ar y ffynnon bob nos ond un noson anghofiwyd gwneud hynny a gorchuddiwyd y dref gan ddŵr. Dyna pryd y ffurfiwyd Llyn Tegid. Roedd ffynnon arall i Gywer rhwng y ffordd a'r rheilffordd tua hanner milltir i'r de o eglwys Llangywer. Pan wnaethpwyd arolwg o hynafiaethau Meirionnydd ar ddechrau'r ugeinfed ganrif, roedd safle'r ffynnon yn anodd i'w weld gan fod y tir mor wlyb. Roedd ffynnon arall a gymerodd yr enw Ffynnon Gywer hefyd ac roedd honno â cherrig o'i chwmpas. Dywedir bod blas y dŵr o'r ddwy ffynnon yn gwbl wahanol ac fe gredid bod y dŵr yn gwella'r llechau.

Ffynnon Beuno, Y Bala

Roedd hon yn ffynnon o faint sylweddol, deuddeg troedfedd wrth naw, gyda llechi mawr o'i chwmpas a cherrig yn llawr iddi. Roedd chwe gris yn arwain i lawr at y dŵr. Rhinwedd arbennig y ffynnon hon oedd ei bod yn dda iawn at wella gewynnau neu esgyrn wedi eu hysigo. Byddai tywallt y dŵr dros yr aelod anafus yn siŵr o ddod â rhyddhad yn fuan iawn ac fe allai'r ffynnon fod o gymorth i wella llygaid poenus hefyd. Byddai hen gymeriad o'r Plase yn arfer mynd yno bob dydd i olchi ei lygaid er mwyn cael esmwythâd. Roedd y dŵr yn dda at ddiffyg ar yr iau, yr ymysgaroedd a'r arennau hefyd. Am gyfnod, bu dau frawd o'r ardal yn glanhau'r ffynnon yn achlysurol ac roedd hyn yn rhan o amod tenantiaeth a wnaed rhwng eu tad a pherchenogion stad Burtons, Eryl Aran. Ceisiodd Mr R.J. Lloyd Price, Rhiwlas, y Bala, botelu'r dŵr a'i farchnata o dan yr enw *St Beuno's Table Waters* neu *Rhiwlas Sparkling Waters.*

Yn ddiweddar, adeiladwyd stad o dai ar safle'r ffynnon sydd bellach wedi ei llanw â phridd a cherrig, ond gobeithir ei hadfer unwaith eto a'i diogelu ar gyfer y dyfodol.

Ffynnon Deiniol, Llanfor

Yr ochr arall i dref y Bala mae pentref Llanfor ac yma mae Ffynnon Deiniol neu Ffynnon Daniel. Mae'n tarddu rhyw ddeugain llath i'r gogledd-orllewin o'r eglwys. Ffynnon fechan rhyw ddwy droedfedd wrth dair yw hon. Nid oes cofnod o ba afiechyd y gellid ei wella wrth yfed ei dŵr.

Ffynnon Derfel, Llandderfel

Ym mhentref Llandderfel ceir Ffynnon Derfel. Fe'i gwelir ar fryn Garth y Llan tua phum can llath i'r gorllewin o'r eglwys. Yn nyddiau Edward Lhuyd roedd carreg fawr dros y ffynnon a cherrig o'i chwmpas, a baddon bychan tua phedair troedfedd sgwâr wrth ei hymyl. Roedd dŵr o'r ffynnon hon yn cael ei ddefnyddio i fedyddio plant yn yr eglwys. Mae'n bosib y bydd y ffynnon hon yn cael ei hadfer yn y dyfodol.

Ffynnon Trillo, Llandrillo

Ar un adeg, fe geid ffynnon i Sant Trillo rhyw bum can llath o eglwys Llandrillo ac roedd y dŵr yn gwella nifer o afiechydon a chryn gyrchu ati. Tua chanol y ganrif ddiwethaf, blinodd y ffermwr ar yr holl bobl oedd yn troedio ar draws ei dir at y ffynnon ac fe'i llanwodd â cherrig. Ceir traddodiad arall fod dŵr y ffynnon wedi ei ddifwyno gan fod rhywun wedi gollwng ci neu gath farw iddi. Yn wyrthiol, cododd y dŵr drachefn ar dir a oedd yn ffinio â safle gwreiddiol y ffynnon ond a oedd yn eiddo i ffermwr arall. Credid mai arwydd o allu'r sant i oresgyn grym dinistriol dyn oedd hyn. Erbyn 1913 fodd bynnag, roedd y ffynnon wedi sychu.

Ffynnon Sulien, Corwen

Un ffynnon sy'n llawn dŵr o hyd yw Ffynnon Sulien, Siliau neu Silin ger Corwen sydd gryn bellter oddi wrth eglwys y plwyf a gysegrwyd i Sant Mael a Sant Sulien. Mae'r ffynnon hon yn hen ac yn mesur naw troedfedd wrth chwech ac yn bedair troedfedd a hanner o ddyfnder. Ceir cerrig llechfaen anferth o'i chwmpas ac mae nifer o risiau yn arwain i lawr at y dŵr. Mae hwnnw'n eithriadol o oer ac fe gredir ei fod yn dda at wella'r cricymalau. Nid oes traddodiadau am y ffynnon wedi goroesi.

Ffynnon Fihangel, Ffestiniog

Ffynnon rinweddol arall â'i dŵr yn dda at wella'r cricymalau, esgyrn wedi torri a nifer o afiechydon eraill oedd Ffynnon Fihangel ym mhlwyf Ffestiniog. Mae safle'r ffynnon yr ochr isaf i'r ffordd fawr rhwng Llan Ffestiniog a Blaenau Ffestiniog, tua hanner ffordd rhwng y ddau le, ac mae'r dŵr yn llifo i afon fechan gerllaw. Roedd chwe ochr i'r ffynnon a dau ris yn mynd i lawr at y dŵr. Bu cryn gyrchu ati yn y ddeunawfed ganrif, ac ar ôl hynny, gan fod y dŵr yn dda at wella amryw anhwylderau. Roedd dŵr y ffynnon yn tarddu o dan lawr bwthyn ac wedi i hwnnw fynd â'i ben iddo, cariwyd y dŵr drwy beipen haearn y tu allan i'r adfail. Bu pobl yn ymweld â'r safle mor ddiweddar ag 1914 a bu dynion y Comisiwn Henebion Brenhinol yno hefyd. Yn ddiweddar, ceisiwyd cael arian i adnewyddu'r ffynnon ond hyd yn hyn ni lwyddwyd i wneud hynny ac mae'r ffynnon wedi ei chladdu o dan gerrig, pridd a sbwriel.

Ffynnon y Doctor, Ffestiniog

Ffynnon arall yn yr ardal oedd Ffynnon y Doctor. Byddai'r ffynnon hon yn disychedu teithwyr wrth iddynt gerdded ffordd y Ceunant Sych. Chwalwyd y ffynnon wrth i'r ffordd gael ei lledu yn y saithdegau ond oherwydd dyfalbarhad y bobl leol, fe'i hailadeiladwyd. Yn ystod y pedwardegau, anfonwyd peth o'r dŵr i Lundain i'w ddadansoddi. Credai'r hen ardalwyr fod rhinwedd arbennig yn perthyn iddo. Cafwyd cadarnhad fod hyn yn wir pan ddaeth gair yn ôl o Lundain. Roedd y dŵr, yn enwedig wedi'i ferwi, yn dda iawn i lanhau'r stumog. Purion yr enwyd hon yn Ffynnon y Doctor gan iddi roi meddyginiaeth yn rhad ac am ddim i'r werin am genedlaethau.

Ffynnon Pant yr Ynn, Ffestiniog

Ffynnon arall yn yr ardal y credid bod ei dŵr yn dda at wella aflwydd ar y stumog oedd Ffynnon Pant yr Ynn ym Manod. Credai'r hen chwarelwyr yn gryf yn rhinwedd dŵr y ffynnon hon.

Ffynnon Frothen, Llanfrothen

Ger eglwys Llanfrothen mae hen ffynnon sy'n llawn dŵr ac sydd wedi ei chau o'i chwmpas â cherrig. Credir yn gyffredinol mai dyma'r 'Ffynnon Vrothan' y cyfeiriodd Edward Lhuyd ati, ond nid felly y dywed traddodiad lleol. Dywedir bod Ffynnon Frothen ar dir Pant y Meysydd ond ei bod bellach wedi ei chau. Roedd y dŵr yn ardderchog pan oedd plant yn dioddef o'r cryd, at fagu gwaed ac at lawer o anhwylderau eraill hefyd.

Ffynnon Frothen, Llanfrothen

Ffynnon Elen, Croesor

Nid nepell o Lanfrothen mae pentref Croesor. Yno mae Ffynnon Elen. Fe'i gwelir ger Sarn Elen ac mae nifer o draddodiadau yn perthyn iddi. Un ohonynt yw'r hanes chwedlonol am Elen Luyddog, mam Cystennin Fawr, yn arwain byddin i Eryri ar hyd yr hen ffordd Rufeinig ac yn aros i orffwyso gerllaw ffynnon. Tra oedd yno, clywodd y newydd trist fod Cystennin wedi ei ladd gan ei frawd Leurwg yng Nghastell Cidwm ger Betws Garmon. Pan glywodd Elen y newydd, meddai, 'Croes awr i mi yw hon'. Dywed rhai mai dyna sut y bu i Croesor gael ei enw a sut y cafodd y ffynnon hon yr enw Ffynnon Elen.

Bu llawer yn cyrchu at y ffynnon yn y ddeunawfed ganrif am eu bod yn credu bod rhinwedd yn y dŵr a allai godi defaid oddi ar y croen. Byddai'n rhaid i'r sawl a geisiai wellhad fynd ar ei liniau wrth y ffynnon ac yfed y dŵr. Yna, rhoddid pin yn y ddafad nes tynnu gwaed. Wedyn byddai'n rhaid troi cefn at y ffynnon a thaflu'r pin dros y pen i'r dŵr wrth adrodd pader o rhyw fath. Ar un adeg, bu hen wraig oedd yn byw yn ymyl y ffynnon yn gofalu amdani ac yn cyfarwyddo'r rhai a ddeuai yno i geisio gwellhad.

Ffynnon y Capel, Llanfihangel-y-traethau

Golygfa heb ei hail o ucheldir Cwm Croesor yw gweld y Traeth Mawr ar y gorwel. Ym mhlwyf Llanfihangel-y-traethau, mewn cae o'r enw Cae Capel ar dir Tyddyn Sion Wyn, roedd Ffynnon y Capel. Roedd safle'r ffynnon tua chwarter milltir i'r de o'r hen ffordd o Dan-y-Bwlch i Abermo ac o fewn dau gan llath i'r Glyn, plasty a fu'n eiddo i Arglwyddi Harlech. Mesurai bum troedfedd sgwâr ac oddeutu dair troedfedd o ddyfnder. Ar ochr ddwyreiniol y ffynnon roedd sedd tua throedfedd o led. Gwnaed arolwg o'r ffynnon yn 1914 ac roedd hi'n amlwg ei bod yn ffynnon o faint sylweddol yn ei dydd, ond erbyn heddiw mae wedi diflannu fel llawer ffynnon arall. Roedd ei dŵr yn arbennig o dda at wella'r cricymalau.

Ffynnon Decwyn, Llandecwyn

Ar yr ucheldir uwchben Llanfihangel-y-traethau mae Llandecwyn. Mae'r olygfa o'r eglwys yn un gofiadwy iawn. Ar y llethr o dan yr eglwys ac uwchben Plas Llandecwyn mae Ffynnon Decwyn. Ffynnon gwbl naturiol yw hon a'r dŵr wedi ei ddal mewn pant dwfn yn y graig tua thair troedfedd o hyd yn y pen blaen ger y llwybr, ond sy'n lleihau i ddwy droedfedd yn nes at ochr y llethr.

Ffynhonnau Llandanwg

Wrth deithio i'r de heibio Harlech, deuwn at ardal y soniwyd amdani eisoes, sef dyffryn Ardudwy. Yn ardal Llandanwg roedd dwy ffynnon ddiddorol iawn ers talwm. Un oedd Ffynnon Gollan. Roedd hon yn ddigon agos i'r môr i longwyr ddod ati i gyrchu dŵr croyw. Un arall oedd Ffynnon Rallt y Môr. Roedd hon yn enwog am wella'r cricymalau a gadawai'r cleifion eu baglau ger y ffynnon ar ôl cael iachâd. Roedd y dŵr yn llesol fel tonig ar ôl i rhywun gael y ffliw hefyd. Roedd y ffynnon hon o dan y creigiau ger y môr.

Ffynnon Enddwyn, Llanenddwyn

Un o ffynhonnau enwocaf yr ardal yw Ffynnon Enddwyn. Mae'r ffynnon tua dwy filltir uwchben yr eglwys i fyny ar Ffridd y Talwrn Mawr ar dir Tyddyn Bach. Mae'n ddigon hawdd mynd ati am fod ffordd yn dringo heibio i'r ffynnon ac i lawr i Gwm Nantcol. Mae waliau cerrig yn amgylchynu'r ffynnon ei hun a'r baddon sy'n ei hymyl, ac mae'n debyg fod to pren dros y baddon ar un adeg. Mae'r ffynnon yn mesur tair troedfedd sgwâr a'r baddon yn saith troedfedd sgwâr. Mae pedwar gris yn mynd i lawr at y dŵr.

Yn ôl yr hanes, roedd Santes Enddwyn yn cael ei blino gan afiechyd poenus ond wedi iddi ymolchi yn y ffynnon cafodd wellhad. Ers hynny, gelwid y ffynnon yn Ffynnon Enddwyn. Yn y gorffennol roedd llawer yn cyrchu ati i gael gwellhad rhag afiechydon y chwarennau, manwyn a llygaid poenus. Roedd y dŵr yn llesol at gricymalau hefyd yn ôl traddodiad. Dywedwyd bod nifer o bobl a gafodd wellhad wedi gadael eu baglau wrth y ffynnon. Byddai rhai yn taflu pinnau i'r ffynnon er mwyn cadw'r ysbrydion drwg draw. Roedd yn arferiad i yfed y dŵr a defnyddio mwsogl oedd yn tyfu yn ymyl y ffynnon fel plastar ar y man dolurus er mwyn ei wella. Un peth sy'n sicr o ddwyn esmwythâd i enaid dyn yw gweld yr olygfa o Ffynnon Enddwyn wrth edrych ar Sarn Badrig allan yn y môr.

Ffynnon Badrig, Llanenddwyn

Ffynnon arall ym mhlwyf Llanenddwyn oedd Ffynnon Badrig. Roedd ei dŵr yn nodedig am wella afiechydon plant ac fe'i defnyddiwyd mewn bedyddiadau yn eglwysi Llanenddwyn a Llanddwywe am ganrifoedd.

Ffynnon Oledd, Llanaber

Ym mhlwyf Llanaber mae Ffynnon Oledd. Gellir dod o hyd iddi wyth can troedfedd uwchlaw'r môr lle mae tair ffordd fynyddig yn cyfarfod â'i gilydd. Cafodd ei henwi ar ôl ffermdy'r Oledd sydd bellach yn adfail. Tua milltir i'r de-orllewin mae ffermdy Sylfaen. Mae'r ffynnon mewn wal gerrig ac i'r chwith iddi mae clwyd haearn. Codwyd mur cerrig o'i chwmpas ac fe geir gris yn arwain i lawr at y dŵr. Roedd cyrchu mawr ati ers talwm am fod ganddi rinweddau arbennig i wella cricymalau a llwg – cyflwr a achosid gan ddiffyg fitaminau yn y corff.

Ffynnon y Gwylliaid, Dinas Mawddwy

Nid ardal Ardudwy yn unig sy'n adnabyddus am ei ffynhonnau; mae gan ardal Dinas Mawddwy ffynhonnau rhinweddol hefyd. Un o'r rhain yw Ffynnon y Gwylliaid ar ben Bwlch y Groes. Yn ôl traddodiad, yma y golchodd y Gwylliaid eu dwylo ar ôl iddynt lofruddio y rhai oedd yn ddigon anffodus i syrthio'n ysglyfaeth i'w crafangau. Hwyrach mai'r ffaith fod dŵr y ffynnon yn goch gan fwynau a roddodd fod i'r fath draddodiad. Roedd dŵr y ffynnon hon yn gymorth i wella salwch ar yr ymysgaroedd ac fe yfwyd llawer ohono gan bobl ers talwm.

Ffynhonnau Dinas Mawddwy

Ffynnon feddyginiaethol arall oedd Ffynnon Cae Gwyn ym Mallwyd. Roedd hon yn enwog am wella llygaid poenus. Yn ymyl Rhiw'r Cawr roedd ffynnon nodedig arall am wella llygaid ac yn wir, credid bod golchi llygaid ynddi yn cryfhau'r golwg.

Yn Ffynnon Oer yng Nghwm Dynewaid gellid gwella cricymalau, a dyna rinwedd Pistyll Ty'n Coed hefyd.

Ffynnon sy'n iacháu amrywiol afiechydon yw Ffynnon Tydecho ar ben Rhiw'r March. Mae'r ffynnon yn un fechan a'r dŵr yn gorwedd mewn cafn o graig. Gellir gwagio'r cafn ond fe ddaw'r dŵr yn ôl iddo'n ddiymdroi. Gellir dod o hyd i'r ffynnon hon ar dir Lleuthnant, Llanymawddwy yn ardal Pengarreg.

Ffynhonnau Corris

Ceir nifer o ffynhonnau rhinweddol yn ardal Corris hefyd. Mae Ffynnon yr Esgob yn dda at wella cricymalau. Er bod hanes am Ffynnon Badarn a Ffynnon Gadfan yn yr ardal, nid oes traddodiadau wedi goroesi amdanynt. Hwyrach mai Ffynnon Lygaid yw'r fwyaf adnabyddus. Roedd hon yn anffaeledig at wella llygaid poenus. Roedd y dŵr yn eithriadol o oer ac yn llifo drwy gydol y flwyddyn. Arferai llawer o bobl fynd yno, rhoi eu dwylo yn y dŵr ac yna, golchi eu llygaid. Byddent yn cario dŵr o'r ffynnon adref ac yn golchi eu llygaid ag o bob dydd am wythnos. Yn ddiamheuol, byddai'r dŵr yn cael effaith ar y llygaid ac yn eu gwella. Yn anffodus, diflannodd y ffynnon hon fel llawer un arall wrth i'r ffordd wrth ei hymyl gael ei lledu.

Diweddglo

Llangamarch a Llanwrtyd,
Llandrindod, Ffynnon Hyfryd,
Yr unig ffynnon sy'n iacháu
Yw ffynnon fach Llanrhystud.

Tybed ai rhyw Gardi a fethai fynd i ymweld â'r ffynhonnau iachusol enwog a ysgrifennodd y pennill hwn? Tybed ai ffydd y claf sy'n cyfrif yn y diwedd? Roedd grym traddodiad yn gryf iawn ac enw da ffynnon yn sicrhau bod gan y sawl a ddeuai ati fesur helaeth o ffydd yn rhinwedd ei dyfroedd cyn teithio milltiroedd maith i'w brofi. Gwelwn fod dadansoddiad dŵr ambell ffynnon yn dangos yn glir bod elfennau llesol ynddynt sy'n effeithiol at wella anhwylderau amrywiol. Felly, nid ffydd yn unig oedd ar waith wrth i gleifion geisio gwellhad wrth yfed y dŵr.

Wrth ddadansoddi'r anhwylderau a gâi eu gwella gan y ffynhonnau gwahanol, gwelwn eu bod yn adlewyrchu cyflwr bywyd cymdeithasol y gorffennol. Roedd cricymalau yn gyffredin a hynny am fod pobl yn gweithio y tu allan ym mhob tywydd heb ddillad i gadw'r glaw rhag eu gwlychu at eu crwyn. Roeddynt hefyd yn byw mewn tai a adeiladwyd yn ddigon gwael â llawer o leithder ynddynt. Hawdd yw dychmygu teulu cyfan yn cysgu mewn bwthyn a hwnnw'n llawn anwedd wrth i'r dillad gwlyb sychu o flaen y tân. Roedd bywyd yn eithriadol o galed. Am fod diffyg maeth mor gyffredin, hwyrach fod esgyrn yn fwy brau hefyd.

Gyda'r nos, byddai'r werin yn gweithio yng ngolau tân myglyd a channwyll frwyn, yn trwsio, gweu neu gerfio ac felly nid yw'n syndod eu bod yn mynd at y ffynhonnau i gael triniaeth i'w llygaid poenus. Mewn cyfnod pan oedd triniaeth feddygol yn waeth na'r afiechyd ei hun, byddai'r werin yn dibynnu llawer ar y ffynhonnau iachusol oedd i'w cael ym mhob ardal. Gresyn fod llawer ohonynt wedi diflannu erbyn heddiw. Gallai mynd i synfyfyrio ger ambell hen ffynnon yn nhawelwch cefn gwlad, ymhell o ruthr gwyllt bywyd, fod yn lles ysbrydol i ni. Maent yn rhan o'n treftadaeth ac fe ddylem eu gwarchod er mwyn y gorffennol, er ein mwyn ein hunain ac fel gwaddol amhrisiadwy i'n plant ac i blant ein plant . . .

'O arwain fy enaid i'r dyfroedd . . .'

Atodiad
Ffynhonnau eraill na chyfeiriwyd atynt yn y testun

Brycheiniog

Ffynhonnau a gysylltir â saint:

Ffynnon BEULAN ger Llan-gors.
Ffynnon EIGION ym mhlwyf Llanigon.
Ffynnon GENEU ym mhlwyf Llangenni (Llangenau), (Llygaid).
(Pe byddai pâr newydd briodi yn mynd at y ffynnon, y cyntaf i yfed ohoni fyddai ben.)

Ffynhonnau ag iddynt draddodiad o wella anhwylder ond heb fod â chysylltiad â sant nac eglwys:

Ffynnon DINAS i'r dwyrain o Gastell Dinas yn nyffryn Rhiangoll (Meddyginiaethol).
Ffynnon y GWRLODAU ym mhlwyf Llanfihangel Cwm Du.

Ffynhonnau wedi eu henwi ar ôl pobl:

Ffynnon DYCLID neu Ffynnon y DREWI yn Llanwrtyd.
Ffynnon CADFERTH ym mhlwyf Llangamarch.

Ffynhonnau amrywiol:

Ffynnon GIEDD yng Nghwmgiedd, Ystradgynlais.
Ffynnon FERFOR YR HALEN yn Llynwene.
Ffynnon WENALLT ger Twyn Wenallt, plwyf Llanelli.

Ceredigion

Ffynhonnau a gysylltir â saint:

Ffynnon AFAN, Llanafan.
Ffynnon BADARN 1. Ger Penuwch 2. Ar Ffordd Llanbadarn, Aberystwyth (Meddyginiaethol).
Ffynnon BEDR 1. I'r gorllewin o Lanbedr Pont Steffan 2. Ym mhlwyf Ferwig.
Ffynnon DALIS, Dihewyd.
Ffynnon DDEINIOL yn ne plwyf Penbryn.
Ffynnon DEUDIR hefyd ym mhlwyf Penbryn.
Ffynnon DYSUL yn rhan ogleddol pentref Llandysul.
Ffynnon FADOG ym mhlwyf Penbryn.
Ffynnon FAIR 1. Plwyf Llangynllo 2. Ym mhlwyf Troed-yr-aur 3. Ger pentref Llanwnen 4. Ger Blaenporth. 5. Ym mhlwyf Llanbedr Pont Steffan 6. Ym mhlwyf Llanfair Treflygen 7. Ym mhlwyf Llangrannog.
Ffynnon FEBWEN neu FEBWYN ym mhlwyf Llanfihangel Ystrad.
Ffynnon FIHANGEL ym mhlwyf Betws Bledrws.
Ffynnon GARADOG ger Rhiw Sion Saer rhwng Aberystwyth a Bow Street.
Ffynnon CAPEL GWNDA ym mhlwyf Troed-yr-aur (Defaid).
Ffynnon GYNLLO ym mhlwyf Llangoedmor (Cricymalau).
Ffynnon HYWEL ym mhlwyf Llanrhystud.
Ffynnon LAWDDOG i'r dwyrain o Blaenporth.
Ffynnon LEUCU ym mhlwyf Llandygwydd.
Ffynnon OWEN 1. Ym mhlwyf Tremain 2. Ym mhlwyf Llannerch Aeron sydd hefyd yn cael ei galw yn Ffynnon WEN 3. Ger Pont Rhyd Owen ym mhlwyf Llandysul.
Ffynnon WERFUL/WYRFIL ym mhlwyf Rhydlewis.
Ffynnon WLADUS ym mhlwyf Llangynllo.
Ffynnon WNNWS ym mhlwyf Llanwnnws (Llygaid).
Ffynnon Y DRINDOD 1. Ger Aberteifi 2. Ym mhlwyf Llanilar.

Ffynhonnau a gysylltir ag eglwysi a chapeli:

Ffynnon CALLWEN ger eglwys Cellan.
Ffynnon CAPEL ym mhlwyf Llanilar.
Ffynnon FENDIGAID ym mhlwyf Penbryn.
Ffynnon GRÔG ym mhlwyf Ferwig.

Ffynhonnau ag iddynt draddodiad o wella anhwylderau ond heb fod â chysylltiad â sant nac eglwys:

Ffynnon BLAENGLOWEN FAWR ym mhlwyf Llantysiliogogo (Coesau gwan).

Ffynnon FEDDYG ym mhlwyf Llanina ger yr arfordir.
Ffynnon GRIPIL ym mhlwyf Llandygwydd (Coesau gwan).
Ffynnon LWLI ar dir Ffynnon Wen, plwyf Llangynllo.
Ffynnon PISTYLL CYNWY yng ngogledd plwyf Llangynllo (Peswch a lymbago).
Ffynnon RHINWEDDAU, ym mhlwyf Llannerch Aeron.

Ffynhonnau wedi eu henwi ar ôl pobl:

Ffynnon BECA rhwng Castellnewydd Emlyn a Llandysul (Llygaid a'r grafel).
Ffynnon BLEUDUD ger Cellan.
Ffynnon Y CEIS ym mhlwyf Ferwig.
Pistyll EINON plwyf Cellan.
Ffynnon ELIN rhwng Carrog a Llanilar.
Ffynnon FFEIRAD ym mhlwyf Llandysul (Ysbryd yma).
Ffynnon FRANCIS ym mhlwyf Llanfihangel Genau'r-glyn (Rhoi golwg i'r dall).
Ffynnon CEINOR ym Mhontsian, plwyf Llandysul.
Ffynnon IWAN ym mhlwyf Llandisiliogogo.
Ffynnon LEWELIN ym mhlwyf Llandysul.
Ffynnon MEREDITH 1. Ym mhlwyf Llanwenog (Meddyginiaethol).
2. Ym mhlwyf Llanarth.
Ffynnon RHYDDERCH ym mhlwyf Llanfair Orllwyn.

Ffynhonnau amrywiol:

Ffynnon BERW ym mhlwyf Penbryn.
Ffynnon DREWI uwchben Trefenter (Ffynnon sylffwr).
Ffynnon DDAFRAS ym mhlwyf Llanwenog.
Ffynnon DDAWNOL i'r gogledd orllewin o Betws Ifan.
Ffynnon FFYN ym mhlwyf Llanrhystud (Coesau gwan).
Ffynnon y FWYALCH yn ardal Bangor Teifi.
Ffynnon HAEARN ym mhlwyf Llangynllo.
Ffynnon LEFRITH 1. Ym mhlwyf Llanwenog 2. Ym mhlwyf Llandisiliogogo.
Ffynnon WAEDOG ym mhlwyf Penbryn.
Ffynnon WARED tri chwarter milltir i'r gogledd-orllewin o bentref Elerch, Ceulan-y-maes-mawr.
Ffynnon WIN yn Aberaeron.
Ffynnon YMENYN ym mhlwyf Llanllwchhaearn.

Maldwyn

Ffynhonnau a gysylltir â saint:

Ffynnon BENNION (Beuno) 1. Ym mhentref Llanymynech (Swynion) 2. Ym mhlwyf Carreghofa 3. Ym mhlwyf Llandrinio.
Ffynnon DDOEFAN yng Nghwm Doefan, Llanrhaeadr-ym-Mochnant (Meddyginiaethol).
Ffynnon EILIAN neu Ffynnon CWM FFYNNON, Llanrhaeadr-ym-Mochnant.
Ffynnon IDLOES yn Stryd Hafren, Llanidloes.
Ffynnon DDUW yn Stryd Arthur, Trefaldwyn.

Ffynhonnau a gysylltir ag eglwysi a chapeli:

Pistyll CANPWLL ym mhlwyf Tregynon (Aed yno ar Suliau'r Drindod).
Ffynnon Y FOEL ym mhlwyf Llansanffraid.
Ffynnon GARTH FAWR ger Cegidfa (Suliau'r Drindod).
Ffynnon SANCTAIDD *(Holy Well)* 1. Ym mhlwys Forden 2. Ger Sarnau, ym mhlwyf Cegidfa.
Ffynnon NEWYDD *(New Well)* yn nhrefgordd Dolforwyn (Suliau'r Drindod).

Ffynhonnau ag iddynt draddodiadau o wella anhwylder ond heb fod yn gysylltiedig â sant nac eglwys:

Ffynnon DDU 1. Ger y Drenewydd (Cricymalau)
2. Ym mhlwyf Aberhafesb (Manwyn).
Ffynnon CILYN ger Llanidloes (Llygaid).
Ffynnon HAFOD Y GARREG WEN ym mhlwyf Isygarreg (Grafel).
Ffynnon GEDWEN ym mhlwyf Trefeglwys.
Ffynnon Y GROFFTYDD yn nhrefgordd Teirtref, Meifod.

Ffynhonnau wedi eu henwi ar ôl pobl:

Ffynnon ELIAS ym Mhlwyf Llansanffraid Deuddwr (Llygaid).
Ffynnon MODRYB ar Allt Glanbrogan, Llanfechain.
Ffynnon Y MYNEICH ger Bryn Adda, plwyf Llanwddyn.
Ffynnon NICHOLAS ar fferm Trederwen, Llandrinio.

Ffynhonnau amrywiol:

Ffynnon LLANLLUGAN ger eglwys y plwyf hwnnw.
Ffynnon LLANLLWCHAEARN yn y Drenewydd (Bwrw ymaith ysbrydion aflan).

Meirionnydd

Ffynhonnau a gysylltir â saint:

Ffynnon BADARN ym mhlwyf Tal-y-llyn.
Ffynnon DEGID ym mhlwyf Llangywer.
Ffynnon DELAU neu DELA ym mhlwyf Llanbedr.
Ffynnon SANTFFRAID ym mhlwyf Llansanffraid Glyndyfrdwy.

Ffynhonnau ag iddynt draddodiadau o wella anhwylderau ond heb gysylltiad â sant nac eglwys:

Ffynnon CLEINI ger Dolgellau (Meddyginiaethol).
Ffynnon CWM RHWYFOR ym mhlwyf Tal-y-llyn (Gwella amryw glefydau).
Ffynnon FFRIDD ARW yn Brithdir (Cricymalau).
Ffynnon FYNWS ym mhlwyf Llangar (Defaid).
Ffynnon Y GRO ger yr afon Wnion, ardal Dolgellau.
Ffynnon LYGAID ger Bwthyn y Graig (Llygaid).
Ffynnon Y TYDDYN MAWR yn Ardudwy (Cricymalau).

Ffynhonnau wedi eu henwi ar ôl pobl:

Ffynnon YR ABAD ym mhlwyf Llanelltyd.

Ffynhonnau amrywiol:

Ffynnon Y GLOCH FELEN, ym mhlwyf Corwen.
Ffynnon MAEN Y MILGI ym mhlwyf Llandrillo (Llanw a thrai ynddi).

Llyfryddiaeth

Bord, Janet a Colin – *Sacred Waters* (Llundain, 1985).
Davies, J. Ceredig – *Folk-lore of West and Mid-Wales* (Aberystwyth, 1911).
Davies, William – *Casgliad o Lên Gwerin Meirion* (Blaenau Ffestiniog, 1898).
Isaac, Evan – *Coelion Cymru* (Aberystwyth, 1939).
Jones, Francis – *The Holy Wells of Wales* (Caerdydd, 1954).
Lhuyd, Edward – *Parochialia* (Atodiad i *Archaeologia Cambrensis*, 1909-1911).
Trevelyan, Marie – *Folk-lore and Folk-stories of Wales* (Llundain, 1909).

Adroddiadau

Inventory of Ancient Monuments in Wales and Monmouth
Trefaldwyn (1911); Maesyfed (1913); Meirionnydd (1921).

Erthyglau

Cymru II 1892 – 'Llanfair Muallt', Dienw.
Cymru VIII 1895 – 'Traddodiadau ac Ofergoelion Dyffryn Ardudwy' gan Gwilym Ardudwy.
Cymru VIII 1895 – 'Ffynhonnau Cymru', T. Glasfryn Hughes.
Cymru XXV 1903 – 'Cwm Croesor' gan Glaslyn.
Dafydd, Guto – 'Bwrlwm o'r Ddaear'. Cyfres o erthyglau yn *Llais Ardudwy*, 1986.
Davies, Nest – 'Ffynhonnau Maddocks'. Erthygl yn *Plu'r Gweunydd*, 1993.
Evans, Emrys – 'Ffynnon Fihangel' neu 'Y Ffynnon' *Llygad y Ffynnon* (2) 1997.
Gruffydd, Ken Lloyd – 'Dirgelwch Rhigwm Ffynnon Fair' *Llafar Gwlad* (12) 1986.
Harries, Mary Corbett – 'Legends and Folklore of Llanfachreth Parish', (*Hanes a Chofnodion Sir Feirionnydd* Cyfrol 5, 1965-68).
Hughes, Jane – 'Adfer Ffynnon Beuno, Y Bala' *Llygad y Ffynnon* (2) 1997.
Jones, R. Ivor, 'Is there a fortune in Tywyn's old well?' (*Y Cambrian News*, Hydref 1981).
Lewis, Dewi E. 'Ffynnon Cwmtwrch' *Llygad y Ffynnon* (1) 1996.

Adysgrifau Tapiau

Nifer o adysgrifau yn yr Amgueddfa Werin, Sain Ffagan.

Wrth ddarllen y llyfryn hwn mae'n siŵr fod mwy nag un wedi sylweddoli nad yw'r awdur wedi ymweld â'r rhan fwyaf o'r ffynhonnau y sonnir amdanynt yn y gyfrol. Gwybodaeth wedi ei gasglu o lyfrau a dogfennau yw'r rhan fwyaf o'r hyn a geir yma ond mae angen gwybodaeth leol i gael y darlun cyflawn. Byddwn yn dra diolchgar am unrhyw wybodaeth newydd y gellir ei hychwanegu at yr hyn a geir yma. Yn wir, casglu gwybodaeth leol am ffynhonnau er mwyn eu diogelu oedd pwrpas sefydlu Cymdeithas Ffynhonnau Cymru.

Cymdeithas Ffynhonnau Cymru

Nod y gymdeithas yw gwarchod ffynhonnau Cymru sydd â thraddodiadau ysgrifenedig neu lafar yn perthyn iddynt. Gobeithir y bydd pob aelod yn ymddiddori yn y ffynhonnau yn ei ardal ei hun. Cyhoeddir cylchlythyr, *Llygad y Ffynnon*, ddwywaith y flwyddyn.

TÂL AELODAETH

Aelod Unigol: £3 Corfforaeth: £8
Teulu: £5 Myfyrwyr, Henoed a'r Di-waith: £2

✂---

FFURFLEN YMAELODI

Dymunaf/Dymunwn ymaelodi â Chymdeithas Ffynhonnau Cymru

ENW(AU) ....

CYFEIRIAD ....

.... CÔD POST ....

Danfonaf/Danfonwn siec, Anfoneb Post am £ ....
at y Trysorydd, Ken Lloyd Gruffydd, Argel, 4 Parc Hendy,
Yr Wyddgrug, Sir y Fflint, CH7 1TH.